名《めい》探《たん》偵《てい》コナン

DETECTIVE CONAN

VOLUME 17

青《あお》山《やま》剛《ごう》昌《しょう》

★前巻《ぜんかん》までのあらすじ★

小《ちい》さくなった名探偵《めいたんてい》・江戸川《えどがわ》コナン。本当《ほんとう》は高校生《こうこうせい》名探偵《めいたんてい》・工藤新一《くどうしんいち》の仮《かり》の姿《すがた》なのだが、毛利探偵事務所《もうりたんていじむしょ》に居候《いそうろう》し、正体《しょうたい》を隠《かく》している。

だが、事件《じけん》が起《お》きると持《も》ち前《まえ》の好奇心《こうきしん》と推理《すいり》グセが出《で》て、近頃《ちかごろ》はGF《ガールフレンド》・蘭《らん》に疑《うたが》われることもしばしば。

小学校《しょうがっこう》でも〝少年探偵団《しょうねんたんていだん》〟を結成《けっせい》し、ちょっとした事件《じけん》でも大騒《おおさわ》ぎ。

そんなコナンの前《まえ》に、強力《きょうりょく》なライバル登場《とうじょう》。名探偵心《めいたんていごころ》をくすぐる憎《にく》いヤツ——〝怪盗《かいとう》キッド〟だ。初《はつ》の頭脳勝負《ずのうしょうぶ》は惜《お》しくも引《ひ》き分《わ》け。結着《けっちゃく》は次回《じかい》!?

ある日《ひ》、毛利小五郎《もうりこごろう》のファンという陶芸家《とうげいか》・菊右衛門《きくえもん》宅《たく》に招《まね》かれたコナン達《たち》。しかし、そこでまたもや事件《じけん》が…自殺《じさつ》か他殺《たさつ》か、真相《しんそう》は!?

名探偵コナン 17　目次

■青山剛昌■

FILE《ファイル》.1
動《うご》かぬ証《しょう》拠《こ》

死亡《しぼう》したのは土屋益子《つちやますこ》さん42歳《さい》…
この家《いえ》の家主《やぬし》、菊右衛門《きくえもん》さんの息子《むすこ》の嫁《よめ》か…
で？死体《したい》を発見《はっけん》する直前《ちょくぜん》まで皆《みな》さんが、この倉《くら》のそばの大広間《おおひろま》にいたというのは本当《ほんとう》かね？
は、はい…
土屋益子《つちやますこ》(42) 菊右衛門《きくえもん》の息子《むすこ》の嫁《よめ》
昨夜《ゆうべ》、オレ達《たち》遅《おそ》くまで宴会《えんかい》をやってたんスよ…
奥様《おくさま》は先《さき》に寝《ね》ちゃったんで、部屋《へや》まで運《はこ》んだんだけど…
有田義彦《ありたよしひこ》(36) 菊右衛門《きくえもん》の弟子《でし》
今朝《けさ》起《お》こしに行《い》ったら、ふとんが空《から》になっていて…
大谷《おおや》 薫《かおる》(36) 菊右衛門《きくえもん》の弟子《でし》
探《さが》そうとした矢先《やさき》に、何《なに》かが割《わ》れる様《よう》な大《おお》きな音《おと》がこの倉《くら》から聞《き》こえたので…
かけつけてみたら…
瀬戸隆一《せとりゅういち》(35) 菊右衛門《きくえもん》の弟子《でし》

2

お、奥様《おくさま》が…
首《くび》を吊《つ》って…
その音《おと》の正体《しょうたい》は、床《ゆか》に砕《くだ》け散《ち》っている焼《や》き物《もの》のツボだ…
たぶん首《くび》を吊《つ》る時《とき》、踏《ふ》み台《だい》にして倒《たお》したんだろう…やけに踏《ふ》み荒《あ》らされているが…
わるいな警部《けいぶ》さん、それ踏《ふ》んだのオレ達《たち》だ…
奥様《おくさま》の体《からだ》はまだ揺《ゆ》れててあたたかく、首《くび》を吊《つ》った直後《ちょくご》だろうから、すぐに降《お》ろせば助《たす》かるかもしれないって…
あのボウヤにいわれて…
コ、コラ!
それで?今回《こんかい》も居合《いあ》わせたにもかかわらず偶然《ぐうぜん》…
事件《じけん》の時《とき》ぐーすか寝《ね》とったというのが…
またまた君《きみ》かね毛利君《もうりくん》!
お、大《おお》きな声《こえ》出《だ》さんでください…二日酔《ふつかよ》いで頭《あたま》が…

ふざけるな!! おまえの行《い》く所《ところ》行《い》く所《ところ》、死体《したい》の山《やま》なんだぞ!! わかっとるのか!?
す、すんません…
警部《けいぶ》! ハリの上《うえ》には人《ひと》が登《のぼ》った形跡《けいせき》はありません!
そ、そうか…
あのハシゴじゃ天井《てんじょう》のハリまで届《とど》かんし…
こりゃー縄《なわ》の先《さき》に何《なに》かを結《むす》び付《つ》けて放《ほう》り投《な》げ、ハリに渡《わた》したんだろう…
幸《さいわ》いここには結《むす》び付《つ》ける物《もの》がそろっているようだし…
でも、大事《だいじ》な作品《さくひん》をそんな事《こと》に使《つか》うかなぁ…
棚《たな》に入《はい》ってるのは先生《せんせい》の作品《さくひん》だけじゃなく、オレらが造《つく》ったヤツも入《はい》ってんだ…
奥様《おくさま》が使《つか》ったんならきっと僕《ぼく》らのだと思《おも》うけど…
それにしてもきれいにされてますなー…
この前《まえ》大掃除《おおそうじ》しましたから…
フム…
となると残《のこ》る問題点《もんだいてん》は…

このパックリ切《き》れとる奥《おく》さんのふくらはぎの傷《きず》だけだな…
まわりにもかなり血《ち》が飛《と》んでるようだし…
きっと首吊《くびつ》りに失敗《しっぱい》して二度《にど》、床《ゆか》に落《お》ちたんですよ…
その時《とき》、最初《さいしょ》に壊《こわ》したツボの破片《はへん》で足《あし》を切《き》ったが、構《かま》わずやり直《なお》したんだ…
ホラ、よくあるでしょ? 輪《わ》が大《おお》き過《す》ぎて首《くび》が縄《なわ》から抜《ぬ》けたり、結《むす》びがあまくてほどけたり…
血《ち》が飛《と》び散《ち》ってるのは、首《くび》が絞《し》まる時《とき》に奥《おく》さんがもがいたからでしょうな…
でも、ツボが壊《こわ》れる音《おと》は一回《いっかい》しかしなかったと思《おも》うけど…
じゃあ失敗《しっぱい》したのはまだ、おめーらが寝《ね》てた時《とき》だろーよ…
縄《なわ》がほどけたんなら、やり直《なお》すのに時間《じかん》がかかるからな…
け、けどなんで奥様《おくさま》は自殺《じさつ》なんか…
そんなふうには見《み》えなかったけどなぁ…
えっ、心《こころ》あたりがないのかね?
ええ…
昨夜《ゆうべ》も楽《たの》しそーに酒《さけ》を飲《の》んでたぜ……
風《ふう》水《すい》丸《まる》じゃよ…

おそらくあの「風水丸《ふうすいまる》」を割《わ》ってしまったのを悔《く》いて、こんな事《こと》をしてしまったんじゃ…
かわいそーに…
菊右衛門《きくえもん》(78)
(本名《ほんみょう》、土屋万吉《つちやまんきち》)
陶芸家《とうげいか》
風水丸《ふうすいまる》？
今度《こんど》、発表《はっぴょう》するはずだった先生《せんせい》の新作《しんさく》のツボですよ！
それを昨日《きのう》の昼間《ひるま》、奥様《おくさま》が倉《くら》から出《だ》そうとして壊《こわ》してしまったんです…
…あの事《こと》を奥様《おくさま》が深《ふか》く気《き》にされていたのなら…
考《かんが》えられん事《こと》はないという事《こと》か…
あ、鑑識《かんしき》さん、死体《したい》の傷口《きずぐち》とツボの破片《はへん》の形《かたち》の照合《しょうごう》をお願《ねが》いしますよ！
あ、はい…
ですが、破片《はへん》は踏《ふ》まれてかなり変形《へんけい》しているので、傷口《きずぐち》と一致《いっち》するかどうかわかりませんよ…
ウーン…一致《いっち》すれば疑問点《ぎもんてん》はなくなるんだが…
自殺《じさつ》！自殺《じさつ》！自殺《じさつ》で決《き》まりですよ！
……

痛《いた》たたたた!!
どうしたのコナン君《くん》?
床《ゆか》の破片《はへん》踏《ふ》んじゃったんだよ…
なんだ、おまえ?なんも履《は》いてねーじゃねーか…
だって――慌《あわ》ててここに来《き》たんだもん…
このおばさんと同《おな》じだね!
へ?
そ、そういえばないな…
奥《おく》さんの履《は》き物《もの》が…
でもおかしいな――…
はだしで来《き》たんなら、ボクみたいに足《あし》の裏《うら》が汚《よご》れてるはずなのに…
え?
あ、そっか―…もしかしてこのおばさん…

誰《だれ》かにダッコされて、ここに連《つ》れて来《き》てもらったんじゃないの？
!?
でもかわってるよね？こんなトコで寝《ね》るなんて…
あ、ああ…
こりゃー他殺《たさつ》の線《せん》もでてきたな…
となると怪《あや》しいのは、死体発見《したいはっけん》の直前《ちょくぜん》までこの倉《くら》のそばの大広間《おおひろま》にいたというあんたらだが…
本当《ほんとう》に大広間《おおひろま》に全員《ぜんいん》そろっていたのかね？
え、ええ…

部屋《へや》を抜《ぬ》けたのは、奥様《おくさま》を起《お》こしに行《い》った大谷《おおや》ぐらいっスよ…
なぁ!
え?
まさかあんた、起《お》こしに行《い》ったふりをして寝《ね》ている奥《おく》さんを吊《つ》るして…
ち、ちがいますよ!!
私《わたし》が抜《ぬ》けたのは一瞬《いっしゅん》です!
奥様《おくさま》の部屋《へや》は大広間《おおひろま》の二《ふた》つ隣《となり》ですから…
電話《でんわ》
奥様《おくさま》の部屋《へや》
大広間《おおひろま》
倉《くら》
本当《ほんとう》かね?
ええ…
10秒《びょう》もかかってないんじゃないかな…
ウーーム…
そんな短《みじか》い時間《じかん》じゃ何《なに》もできんか…
ほかに抜《ぬ》けたのは?
あ、僕《ぼく》も電話《でんわ》をかけにちょっとだけ…
奥様《おくさま》が外出《がいしゅつ》されたと思《おも》ったので…
抜《ぬ》けたといっても、大広間《おおひろま》の前《まえ》の廊下《ろうか》にある電話《でんわ》から奥様《おくさま》の携帯電話《けいたいでんわ》にかけただけですけど…
携帯電話《けいたいでんわ》?奥《おく》さんの?
ああそうじゃ…

益子《ますこ》さんには常時《じょうじ》、携帯電話《けいたいでんわ》を持《も》たせておったよ…
ワシらが作品《さくひん》づくりに専念《せんねん》するために、外《そと》の事《こと》はすべて益子《ますこ》さんに任《まか》せておったからのう…
外《そと》の事《こと》とは？
作品《さくひん》の取《と》り引《ひ》きとか、発表会《はっぴょうかい》の日時《にちじ》とかですよ…
だから、先生《せんせい》はめったに外出《がいしゅつ》されないんです…人《ひと》と会《あ》うのも作品《さくひん》を買《か》っていただいた方《かた》とだけでしたし…
だが妙《みょう》だな…奥《おく》さんの死体《したい》には携帯電話《けいたいでんわ》なんぞなかったぞ…
あ、携帯電話《けいたいでんわ》なら被害者《ひがいしゃ》の部屋《へや》からすでに発見《はっけん》されてます！
めくられたフトンの下《した》にあったという事《こと》ですが…
フトンの下《した》？
奥様《おくさま》はいつも、目覚《めざ》ましがわりに携帯電話《けいたいでんわ》を枕元《まくらもと》に置《お》かれてましたから…
携帯電話《けいたいでんわ》の電源《でんげん》は入《はい》ってなかったそうです！
なるほど…すぐそばからかけても、音《おと》は聞《き》こえんかったというわけか…
で？ほかに部屋《へや》から抜《ぬ》けた方《かた》は…
いや…ほかは別《べつ》に…
誰《だれ》も…
いないよなぁ…

じゃあ誰《だれ》なんだ？奥《おく》さんを倉《くら》に運《はこ》んで殺《ころ》したのは…？
死体発見《したいはっけん》が首《くび》を吊《つ》るされた直後《ちょくご》なら、全員大広間《ぜんいんおおひろま》にいたというアリバイがある…
だから――…
自殺《じさつ》ですよ自殺《じさつ》！
奥《おく》さんが履《は》き物《もの》を履《は》いてなかったのは、自殺《じさつ》しようと気《き》が動転《どうてん》してたからで、
足《あし》の裏《うら》が汚《よご》れてなかったのは、縁側《えんがわ》から倉《くら》に続《つづ》く敷《し》き石《いし》の上《うえ》を渡《わた》ったからですよ…
しかも奥《おく》さんが例《れい》の「風水丸《ふうすいまる》」を割《わ》ったのはこの倉《くら》の中《なか》…
朝起《あさお》きて倉《くら》を見《み》て、ついフラフラと中《なか》に入《はい》って行《い》ったとしてもおかしくないでしょう…
…そうですね、縄《なわ》は元々《もともと》この倉《くら》に荷造《にづく》り用《よう》の物《もの》が置《お》いてありましたから…
それにツボが割《わ》れる音《おと》もみんないっしょに聞《き》いてるし…
とにかくもう少《すこ》しこの倉《くら》の中《なか》を調《しら》べてみん事《こと》には結論《けつろん》は出《だ》せん！
それまで皆《みな》さんは大広間《おおひろま》で待機《たいき》していてください！
くれぐれも勝手《かって》な行動《こうどう》はなさらぬように…
………

自殺《じさつ》…
本当《ほんとう》にそうなのか？
それにしてはおかしな点《てん》が多過《おおす》ぎる…
ガラ
パックリ切《き》れた奇妙《きみょう》な右足《みぎあし》の傷《きず》…
クツを履《は》かなかった不自然《ふしぜん》な行動《こうどう》と汚《よご》れてない足《あし》の裏《うら》…
そして事件《じけん》の前日《ぜんじつ》…
倉《くら》で「風水丸《ふうすいまる》」が割《わ》れたそばで見《み》つけた、このビー玉《だま》…
…それになんだろう…何《なに》かひっかかってんだよな――…
現場《げんば》で見《み》た何《なに》かに…
なんだ、ビー玉《だま》か？
ドキッ
ポロ
あ、しまった!!
テンテン
え？

ちょ、ちょっとヤダ!
なによコナン君《くん》!?
ピト
こ、これは口紅《くちべに》…
なんでこんな所《とこ》に…
!?

も、もしかしたら…
おい、コラ！
コ、コナン君《くん》!?
オレが気《き》になっていた物《もの》って…
ダダダ
もしかしたら!!
ガラッ
ん？なんだねコナン君《くん》…
ちょっと忘《わす》れ物《もの》しちゃって…
忘《わす》れ物《もの》って…
イカンよ、勝手《かって》に入《はい》っちゃ…
あれ？
おばさんの死体《したい》は？
もう警察病院《けいさつびょういん》に運《はこ》んだよ…
ふーーん…

あった!!
これだ!!
やっと見《み》つけたぜ…
犯人《はんにん》が隠《かく》しそびれた痕跡《こんせき》を!!
こんな物《もの》がここにあるって事《こと》は…
当然《とうぜん》上《うえ》には…
!!

やっぱりな…
この方法《ほうほう》を使《つか》えば、この場《ば》にいなくても殺人《さつじん》は可能《かのう》ってわけか…
でも、まだ不十分《ふじゅうぶん》だ…
この殺人《さつじん》を確実《かくじつ》なものにするには、あれがあの辺《へん》にあるはず…
おーし…
ガッ

よいしょ…
よいしょ…
お、おい
何《なに》やってるんだ!?
だから忘《わす》れ物《もの》を探《さが》してるっていってるでしょ?
その辺《へん》はさっき調《しら》べたが、変《へん》な物《もの》は何《なに》もなかったぞ!!
危《あぶ》ないから早《はや》く降《お》りなさい!
確《たし》かに…
ゴソ
ゴソ
焼《や》き物《もの》以外《いがい》は何《なに》もなさそーだが…
ん?
ん──…

!?
なるほど…
さすが陶芸家《とうげいか》ってわけか…
コトッ
となると犯人《はんにん》は、あの二人《ふたり》に絞《しぼ》られるけど…
たぶんあの人《ひと》だ…
奥《おく》さんにワナを張《は》り、自殺《じさつ》に見《み》せかけて殺《ころ》し、しかも、今《いま》もその証拠《しょうこ》を身《み》につけているのは…
あの人《ひと》しかいない!!

FILE《ファイル》.2
音《おと》で殺《ころ》す!?

おーし、犯人《はんにん》もトリックもわかった！
後《あと》は、これをどーやって目暮警部《めぐれけいぶ》に伝《つた》えるかだが…
あのー—オレ達《たち》いつまで大広間《おおひろま》に待機《たいき》してなきゃいけないんスか？
ああ…すみませんな…こっちはもうしばらくかかりそうだ…
食事《しょくじ》とかとっていいですか？朝《あさ》から何《なに》も口《くち》にしてないんで…
着替《きが》えたりもしたいですし…
構《かま》わんよ！そのくらいなら部下《ぶか》に断《ことわ》ってくれれば…
ダ、ダメだよ！そんな事《こと》勝手《かって》にされちゃ、せっかくの証拠《しょうこ》が…
証拠《しょうこ》？

ガキがゴチャゴチャうるせーんだよ!!
何《なに》が証拠《しょうこ》だこれは自殺《じさつ》、犯人《はんにん》なんかいねーんだよ!!
ですよね?警部殿《けいぶどの》!
あ、あぁ…
ハハ…やっぱ、おっちゃんをこの麻酔銃《ますいじゅう》で眠《ねむ》らせるっきゃねーな…
ねえ!そーいえばおじさんがいってたアレ、見《み》つけたよ!
ん?
なんだよ「アレ」って?
え?いいの?みんなの前《まえ》でいっちゃっても…
あん?
だからーさっき、おじさんがボクに…

ふにゃ…
お、お父《とう》さん？
えーっとエリの裏《うら》に…
ピト
ボタン型《がた》スピーカーを取《と》り付《つ》けてと…
おお！見《み》つけてくれたか、でかしたぞコナン！
エヘヘ♡
おいおい、いったい何《なに》を見《み》つけさせたっていうんだね？
そりゃーもちろん犯人《はんにん》が隠《かく》しきれなかった証拠《しょうこ》ですよ…
は、犯人《はんにん》って…
まさか、おい…
ええ…奥《おく》さんは自殺《じさつ》なんかじゃない…殺《ころ》されたんだ…
この中《なか》にいるある人物《じんぶつ》にね!!
!?

ほう…これは面白《おもしろ》い…
眠《ねむ》りの小五郎《こごろう》の名推理《めいすいり》を、間近《まぢか》で拝《おが》めるとは光栄《こうえい》じゃ…
では、お聞《き》かせ願《ねが》おうか…死体発見《したいはっけん》の直前《ちょくぜん》まで大広間《おおひろま》におった我々《われわれ》の中《なか》の誰《だれ》が、
どーやって、この倉《くら》で益子《ますこ》さんに首《くび》を吊《つ》らせたかを…
そのとおりだよ毛利君《もうりくん》！死体《したい》が死亡直後《しぼうちょくご》に発見《はっけん》されたのなら、この人達《ひとたち》に犯行《はんこう》はとても無理《むり》だ！
だいいち、自殺《じさつ》だといい張《は》ってたのは君《きみ》じゃないか！
あれは犯人《はんにん》を油断《ゆだん》させるためのウソですよ…ヘタに勘《かん》ぐられて、証拠《しょうこ》を隠滅《いんめつ》されちゃ困《こま》りますからね…
だからなんなんだね、その証拠《しょうこ》とは？
血《ち》だよ警部《けいぶ》さん！
変《へん》な血《ち》が落《お》ちてるはずだから見《み》てきてくれって、小五郎《こごろう》おじさんに頼《たの》まれたんだ！
変《へん》な血《ち》？
ホラ、きっとこの血《ち》の事《こと》じゃない？
ん――…！

こ、これは!?
……死体《したい》をここに運《はこ》んだのは君《きみ》らだったよな？
ええ…まだ生《い》きてるかもしれないって…
確《たし》かオレが奥《おく》さんの腕《うで》、おまえが足《あし》をかかえて部屋《へや》のスミに寄《よ》せたんだよな？
ああ…
ウーム…だとしたらやはり妙《みょう》だなこれは…
その血《ち》がどうかしたんスか？
ポタポタ落《お》ちてるのは運《はこ》ぶ時《とき》、死体《したい》からたれた血《ち》だと思《おも》いますけど…
いや、全部《ぜんぶ》が全部《ぜんぶ》その時《とき》落《お》ちた血《ち》じゃないよ…
ほかの血《ち》に混《ま》ざってわかりにくくなっておるが、別《べっ》のモノもある…
べ、別《べつ》のモノ？

床《ゆか》に落《お》ちた時《とき》の人間《にんげん》の血《ち》の形状《けいじょう》は、落下《らっか》する高《たか》さによってだいたい決《き》まっておるんだよ…
10cm《センチメートル》
50cm《センチメートル》
1m《メートル》
高《たか》くなるほど円《えん》は大《おお》きくなり、円《えん》のまわりの散《ち》り方《かた》も派手《はで》になる…
奥《おく》さんの手足《てあし》を持《も》って運《はこ》んだのなら、つま先《さき》と床《ゆか》との距離《きょり》はせいぜい50cm《センチ》…
だが、この血痕《けっこん》は1m《メートル》以上《いじょう》の高《たか》さから落下《らっか》したモノだ…
そんな血《ち》がここにあるという事《こと》は…
ま、まさか…
奥様《おくさま》はこの棚《たな》の上《うえ》に…
でもなんで…？
!?
そうです……

奥《おく》さんは犯人《はんにん》によって夜中《よなか》の内《うち》に棚《たな》の上《うえ》に運《はこ》ばれ、寝《ね》かされていたんですよ！
天井《てんじょう》のハリにくくり付《つ》けられた縄《なわ》の先端《せんたん》の輪《わ》を首《くび》にはめられてね！
こうしておけば奥《おく》さんが朝起《あさお》きてバランスをくずし、棚《たな》から落《お》ちるだけで自動的《じどうてき》に首《くび》を吊《つ》らせる事《こと》ができる！
首《くび》を吊《つ》った直後《ちょくご》に大《おお》きな音《おと》がしたのは、ハリにくくり付《つ》けた縄《なわ》の結《むす》び目《め》の真下《ました》にツボを重《かさ》ねておいたから…
首《くび》に縄《なわ》をかけてあんな高《たか》さから落《お》ちれば首《くび》に全体重《ぜんたいじゅう》がかかり、頸椎《けいつい》の骨折《こっせつ》・脱臼《だっきゅう》によりほぼ即死《そくし》…
後《あと》は死体《したい》の足《あし》が勝手《かって》にツボを蹴散《けち》らし、「首《くび》を吊《つ》る時《とき》の踏《ふ》み台《だい》を倒《たお》した」ように見《み》えるというわけだ！
もちろんこれは、死体発見《したいはっけん》を早《はや》めて大広間《おおひろま》にいたという自分《じぶん》のアリバイを確実《かくじつ》にするためですよ！
じゃあ、奥《おく》さんの右足《みぎあし》のふくらはぎの傷《きず》は…？
よーく見《み》てください棚《たな》の上《うえ》を…
クギが出《で》てるでしょ？

おそらく奥《おく》さんはバランスをくずして落《お》ちそうになった時《とき》に、あのクギでふくらはぎを切《き》ったんですよ…
棚《たな》のそばに血《ち》が落《お》ちていたのは…棚《たな》をつかんで数秒《すうびょう》こらえたからでしょう…
…という事《こと》は、あの傷《きず》は偶然《ぐうぜん》できたものなのか?
ええ…あれは犯人《はんにん》には予想外《よそうがい》の事《こと》、みんなといっしょにここにかけつけた犯人《はんにん》は奥《おく》さんの傷《きず》を見《み》て、さぞかし驚《おどろ》いたことでしょうな…
だが、奥《おく》さんを棚《たな》の上《うえ》に乗《の》せたのは犯人《はんにん》だ…犯人《はんにん》なら傷《きず》の原因《げんいん》が棚《たな》の上《うえ》のクギだとすぐに気《き》づくはず…
棚《たな》のそばに落《お》ちている血痕《けっこん》にもね…
死体《したい》が揺《ゆ》れてまわりに血《ち》が飛《と》び散《ち》っているといっても、棚《たな》からは離《はな》れ過《す》ぎている…
この血痕《けっこん》が見《み》つかれば、トリックがバレる可能性《かのうせい》があると恐《おそ》れた犯人《はんにん》は、

みんなをうまく誘導《ゆうどう》し、死体《したい》を元《もと》の血痕《けっこん》の所《ところ》まで持《も》ってったんだ…
血《ち》で血《ち》を隠《かく》すために…
ですよね?
昨夜《ゆうべ》の宴会《えんかい》の途中《とちゅう》で大広間《おおひろま》から抜《ぬ》け出《だ》し、奥《おく》さんを倉《くら》まで運《はこ》び今《いま》のトリックを仕掛《しか》けた…

瀬《せ》戸《と》隆《りゅう》一《いち》さん!!
せ、瀬戸《せと》…
まさか、おまえが…
おいおい、まってくれよ!!
宴会《えんかい》の途中《とちゅう》で抜《ぬ》けたのは僕《ぼく》だけじゃない!!
ほかのみんなにだってこのトリックはできるはずだよ!!
10
それに名探偵《めいたんてい》のあなたが来《き》ているのに、そんな大《だい》それた事《こと》するわけないじゃないですか!!
そうせざるを得《え》なかったんですよ…
奥《おく》さんが例《れい》の「風水丸《ふうすいまる》」を割《わ》ってしまったから…

あんたでしょ?「風水丸《ふうすいまる》」の底《そこ》にビー玉《だま》をはさんで傾《かたむ》け、落《お》ちやすくしてたのは…
この殺人《さつじん》を「自分《じぶん》の不始末《ふしまつ》を苦《く》にしての自殺《じさつ》」に見《み》せかけるためにね…
なるほど…作品《さくひん》の取《と》り引《ひ》きを奥《おく》さんが仕切《しき》っていたのなら、倉《くら》から作品《さくひん》を出《だ》し入《い》れするのもおそらく彼女《かのじょ》…いずれ、ツボを落《お》とす羽目《はめ》になったというわけか…
しかも奥《おく》さんは、宴会《えんかい》で泥酔《でいすい》して寝《ね》てしまっていた…昨夜《ゆうべ》は絶好《ぜっこう》のチャンスだったんですよ…
だから──何《なに》か証拠《しょうこ》でもあるんですか?
証拠《しょうこ》?
証拠《しょうこ》なら今《いま》もあなたが身《み》に着《つ》けているじゃないですか…
あなたが奥《おく》さんを棚《たな》に寝《ね》かせたという痕跡《こんせき》を!!
え?
さあ警部殿《けいぶどの》、彼《かれ》の上着《うわぎ》の背中《せなか》をめくってみてください…
まだ残《のこ》っているはずですよ…
彼《かれ》の白《しろ》いT《ティー》シャツにべっとり付《つ》いた…

奥《おく》さんの真《ま》っ赤《か》なルージュがね…
おそらくそれは、奥《おく》さんを棚《たな》の上《うえ》に運《はこ》んだ時《とき》に付《つ》いた口紅《くちべに》…
肩《かた》に担《かつ》がないと、ハシゴは登《のぼ》れませんからね…
そしてあなたはなにくわぬ顔《かお》で、宴会《えんかい》が続《つづ》く大広間《おおひろま》に戻《もど》ったんだ…
宴会《えんかい》の途中《とちゅう》で抜《ぬ》けたのは、奥《おく》さんの酔《よ》いが醒《さ》める前《まえ》に運《はこ》びたかったからですよ…
大広間《おおひろま》の座《ざ》イスを調《しら》べてみてください！彼《かれ》がもたれて口紅《くちべに》が少々《しょうしょう》付《つ》いた物《もの》がありますから…
か、勘弁《かんべん》してくださいよ!!
確《たし》かにこれは奥様《おくさま》の口紅《くちべに》かもしれません…
でも、もしかしたら宴会《えんかい》の途中《とちゅう》で寝《ね》てしまった奥様《おくさま》の顔《かお》に、僕《ぼく》の背中《せなか》が偶然《ぐうぜん》触《ふ》れてしまったのかもしれないじゃないですか!!
昨夜《ゆうべ》は酔《よ》っぱらっててよくは覚《おぼ》えてませんが…
そうじゃないとあなたにいいきれるんですか？
ほう…そうきましたか…
ならば仕方《しかた》ない…
とっておきのヤツを見《み》せましょう…

おい、コナン！
さっき見《み》つけた物《もの》を出《だ》せ!!
え？
コ、コナン君《くん》!?
ブン
これでしょ、おじさん!!
あり？
ズル…
あーーっ！
ヒュウウウウ
え？

こ、これは、
携帯電話《けいたいでんわ》!!
どうしてこんな物《もの》がツボの中《なか》に…!?
この殺人《さつじん》を確実《かくじつ》なものにするためですよ…
いくら狭《せま》い棚《たな》の上《うえ》に寝《ね》かせていても、起《お》きてバランスをくずすとはかぎらない…
だが、枕元《まくらもと》で電話《でんわ》のベルが鳴《な》れば話《はなし》は別《べつ》だ!
トゥルル…
そうなればほとんどの人《ひと》は無造作《むぞうさ》に手《て》を伸《の》ばす…
奥《おく》さんが携帯電話《けいたいでんわ》を、目覚《めざ》まし代《が》わりに使《つか》っていたのならなおさら…
トゥルル…
そう…瀬戸《せと》さんは、奥《おく》さんの頭《あたま》のすぐ下《した》の棚《たな》にそのツボを置《お》き、鳴《な》らしたんです…
二重底《にじゅうぞこ》で内側《うちがわ》の底《そこ》に穴《あな》が空《あ》いてるこの特殊《とくしゅ》なツボの中《なか》の携帯電話《けいたいでんわ》をね…
その携帯電話《けいたいでんわ》の番号《ばんごう》を調《しら》べればすぐにわかるはずですよ…瀬戸《せと》さんの物《もの》だとね!
………

教《おし》えてくれ探偵《たんてい》さん…
なんで僕《ぼく》だとわかった？
確《たし》かにボクは電話《でんわ》をかけたけどあの時《とき》、部屋《へや》を出《で》た大谷《おおや》にだってかけられたはずだ!!
そのとおり…私《わたし》も電話《でんわ》入《い》りのツボをコナンが見《み》つけたと聞《き》いてそう思《おも》いました…
だったら、なんで？
あなた、確《たし》か電話《でんわ》をかけた時《とき》こういってたじゃないですか…
おかしいな—…出《で》ないぞ…
ですが、発見《はっけん》された奥《おく》さんの携帯電話《けいたいでんわ》は電源《でんげん》が切《き》れていた…
そういう場合《ばあい》、携帯電話《けいたいでんわ》は必《かなら》ず「電源《でんげん》が入《はい》っていない」または「電波《でんぱ》の届《とど》かない所《ところ》にいる」と答《こた》えるんですよ…
それを思《おも》い出《だ》して私《わたし》は確信《かくしん》したんです…
あなたはあの時《とき》どこか別《べつ》の電話《でんわ》にかけていたとね…
……そうか…
あの時《とき》、「つながらない」っていえばよかったわけか…
でも、信《しん》じられん…殺人《さつじん》のためとはいえ、おまえが先生《せんせい》の「風水丸《ふうすいまる》」を壊《こわ》すなんて…
フン…あんな物《もの》粉々《こなごな》になったって構《かま》いやしないさ…

だってあれは、先生《せんせい》の「風水丸《ふうすいまる》」を真似《まね》てオレが造《つく》った…
贋作《がんさく》なんだから…
が、贋作《がんさく》!?
ああ…本物《ほんもの》はちゃんと別《べつ》の所《ところ》に保管《ほかん》してあるよ…
しかしまー目《め》の前《まえ》で壊《こわ》れたとはいえ、奥様《おくさま》の目《め》までごまかすとは…
僕《ぼく》の腕《うで》も結構《けっこう》きてるな…
フ、だからこそ奥様《おくさま》は僕《ぼく》の作品《さくひん》を高値《たかね》で売《う》ってたわけだけど…
た、高値《たかね》って…
まさか…
ああそうさ、奥様《おくさま》は僕《ぼく》の作品《さくひん》を先生《せんせい》の作品《さくひん》と偽《いつわ》って売《う》ってたんだよ!
見《み》る目《め》のないどっかのバカな金持《かねも》ちにな!!
なに!?

気《き》づいた時《とき》には数十《すうじゅっ》個《こ》売られた後《あと》…
もちろん奥様《おくさま》に問《と》いただしたけど…
あの人《ひと》、謝《あやま》るどころか…
こっちは感謝《かんしゃ》してほしいぐらいですよ…
独創性《どくそうせい》のカケラもないあなたの造《つく》ったガラクタを、売《う》ってあげているんですからね…
じゃあ、まさか最近《さいきん》の君《きみ》のスランプって…
ああ、わざとだよ! これ以上《いじょう》、先生《せんせい》の名《な》に傷《きず》をつけたくなかったからな…
…
でも「造《つく》らないとここから追《お》い出《だ》す」って、奥様《おくさま》にいわれて…
それでオレ…腹《はら》に据《す》えかねて…
バカモンが!!
……
おまえどーしてそれを先生《せんせい》にいわなかったんだ?
……いえるわけないだろ?
物《もの》によっちゃ、先生《せんせい》の本物《ほんもの》より僕《ぼく》のニセ物《もの》の方《ほう》が高値《たかね》で売《う》れてたなんてな…

二日後《ふつかご》…
ホ── それが時価一千万《じかいっせんまん》の湯《ゆ》のみか───…
毛利探偵事務所
そんなふうには見《み》えんがのう…
ゴビ
見《み》た目《め》と中身《なかみ》はちがうんだよ！
あちっ
あ────!!
なーんてな！
おっちゃんの場合《ばあい》、見《み》た目《め》と中身《なかみ》は変《か》わんねーな…
……

ジャーン♡
ホラ、これよお父《とう》さん！きのう買《か》った新《あたら》しい水着《みずぎ》!!
FILE《ファイル》.3 三《みっ》つの謀《はかりごと》
しーっ黙《だま》ってろよ！
コブ付《つ》きだと思《おも》われたら困《こま》るだろ？
どーいう意味《いみ》よ？それ…
どーいうって…
そりゃ——…
うひょーそこのナイスバディなお姉《ねえ》さん♡サンオイルならこの私《わたくし》めが…

FILE.3
ファイル
三つの謀
みつ　　はかりごと

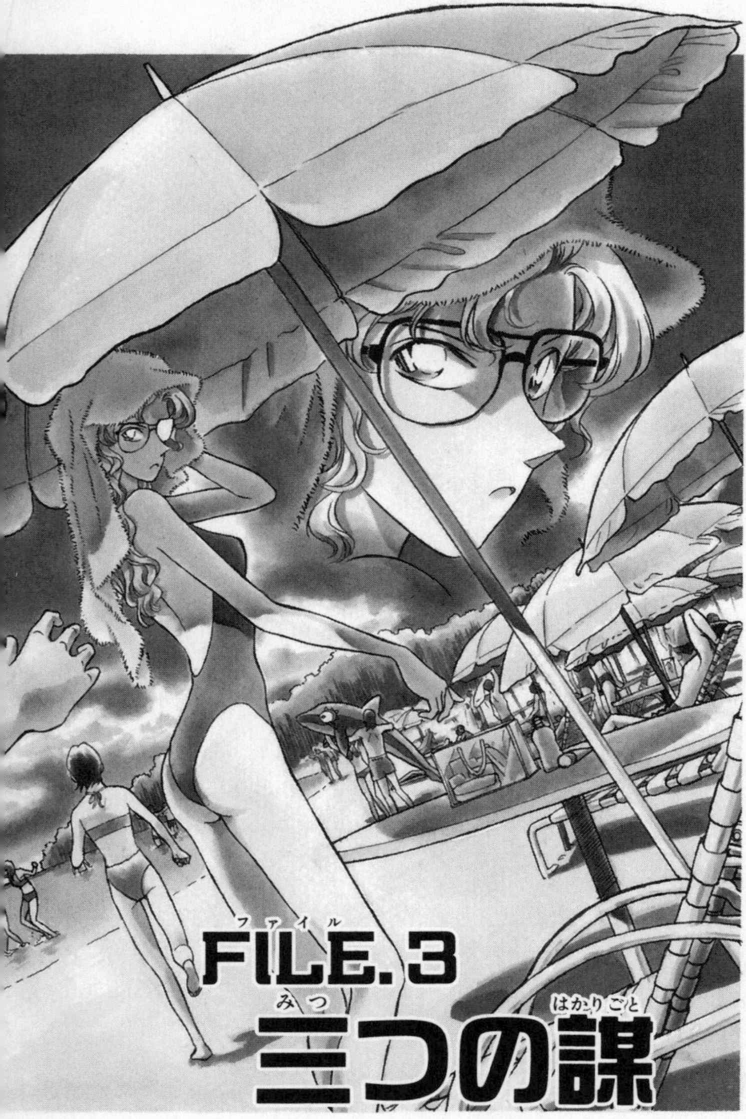

え、英理《えり》…
おまえ、なんでここに…？
あなたこそ…
どーして…
わーーっステキな偶然《ぐうぜん》♡
まさにおしどり夫婦《ふうふ》!! 息《いき》もピッタリって感《かん》じよねー!!
まさか蘭《らん》、てめぇ…
図《はか》ったわね…
え？ 何《なに》を…？
バレバレだっつーの…

伊豆《いず》クィーンホテル ロビー
も―― そろそろ 機嫌《きげん》直《なお》してよ 二人《ふたり》共《とも》…
内緒《ないしょ》で 会《あ》わせたのは 謝《あやま》るからさー…
もっと 伊豆《いず》の海《うみ》を エンジョイ しよ！
ね！
ね！
ああ… さっきまで エンジョイ してたよ… 年《とし》がいもなく 派手《はで》な水着《みずぎ》をつけた、 そのおばさんが 現《あらわ》れるまではな…
あら、 そのおばさんに 鼻《はな》の下《した》伸《の》ばして 下劣《げれつ》な奇声《きせい》を あげてたのは… どこのどなた かしら？
あ、 ちょっと…

バン
お、
お父《とう》さん！
ちょっと
ションベンして
くらあ…
き、きっと
テレてんのよ、
ひさしぶりに
会《あ》ったから…
どーだか
……
自分《じぶん》から
折《お》れる事《こと》のできない、
度量《どりょう》の小《ちい》さい男《おとこ》にしか
見《み》えないけど…
あれ？
ジ
してないの？
結婚指輪《けっこんゆびわ》…
いつも
してる
のに…
ああ…
わざとよ
わざと…
試《ため》したのよ、
あの人《ひと》がコレに
気《き》づくかどうか…
気《き》づいてくれたら
まだ希望《きぼう》はあると
思《おも》ってたんだけど…
無駄《むだ》だった
様《よう》ね…
あ、
だから
それは…
6

ハァ―― 私《わたし》の人生《じんせい》大失敗《だいしっぱい》…
別居《べっきょ》なんかさっさとやめにして、人生《じんせい》やり直《なお》しちゃおうかしら…
お、お母《かあ》さん!?
ダメよコナン君《くん》、あんな大人《おとな》になっちゃ…
あ、はい!!
なろうと思《おも》っても、なかなかなれない気《き》もするが…
チッ
チッ
チッ
遅《おそ》いなー お父《とう》さん…
どーせまたビーチに出《で》てナンパしてるんじゃないの?
そんなまさか…
ナハハハハハハ…

え?
私《わたし》としても光栄《こうえい》ですよ、こんな魅力的《みりょくてき》なレディ達《たち》が私《わたし》のファンだなんて♡
やっぱり…
ぐ、偶然《ぐうぜん》よ!
トイレの帰《かえ》りに偶然《ぐうぜん》あの人達《ひとたち》に会《あ》ったからそれで…
なら、小五郎《あのひと》の足《あし》を御覧《ごらん》なさい…
さっきはらったはずなのに、ヒザまで砂《すな》がついてる…
ビーチにひざまずいて、あの娘《こ》らにサンオイルを塗《ぬ》ってる姿《すがた》が容易《ようい》に想像《そうぞう》できるわ…
わざわざここに連《つ》れて来《き》たのは、私《わたし》に見《み》せつけるためかしら?
くだらない男《おとこ》…
そ、そんな……
まさかおっちゃん…
まさかねえ…

8

ちょっとお父《とう》さん!?
お、蘭《らん》か!
紹介《しょうかい》しよう…
さっきビーチで知《し》り合《あ》った貴和子《きわこ》さんと…
こんにちは…
戸田貴和子《とだきわこ》
大学生《だいがくせい》
はるみさんだ!
ヨロシク——♡
松崎《まつざき》はるみ
大学生《だいがくせい》
かわい——♡息子《むすこ》さんですか?
いや…ウチで預《あず》かってるコナンです…
こっちは娘《むすめ》の蘭《らん》…
どうも…
そしてその横《よこ》にいるのが…
元妻《もとつま》の英理《えり》です…
え?離婚《りこん》されたんですか?
冗談《じょうだん》です冗談《じょうだん》!
いや…あながち冗談《じょうだん》とは…
おい、コラおっさん…

ん？
オレの連《つ》れにちょっかい出《だ》してんじゃねーよ！
おい、雅彦《まさひこ》おまえも何《なに》かいってやれよ！おまえの大事《だいじ》な婚約者《こんやくしゃ》と妹《いもうと》が、たぶらかされてんだぞ!!
まあまあ…そんなに目《め》くじらたてなくても…
河津邦生《かわづくにお》
大学生《だいがくせい》
それにこの人《ひと》、有名人《ゆうめいじん》みたいだし…
ムリないよ…
松崎雅彦《まつざきまさひこ》
大学生《だいがくせい》
有名人《ゆうめいじん》？
ホラ、名探偵《めいたんてい》の毛利小五郎《もうりこごろう》さんよ！
あ、やっぱりそうか！
………
ねえ、お昼《ひる》もう食《た》べた？
え？まだだけど…
だったら私達《わたしたち》とお昼《ひる》食《た》べようよ！
シーサイドレストランなんてどう？
おーいいね！
行《い》こ行《い》こ！

10

Seaside Restaurant
BIG WAVE
ホー……
皆《みな》さん大学《だいがく》のスキューバダイビングのサークル仲間《なかま》ですか…
ええ…今日《きょう》も昼前《ひるまえ》にみんなで一本《いっぽん》潜《もぐ》ってきました！
じゃー来週式《らいしゅうしき》を挙《あ》げるお二人《ふたり》にとっちゃ、独身最後《どくしんさいご》のダイブってわけですな！
いや…一応明日《いちおうあした》も潜《もぐ》るんで…
でも、大変《たいへん》だったんですよ！泳《およ》げないお兄《にい》ちゃんをこのサークルに入《い》れるの…
おいおい…
泳《およ》げない？
泳《およ》げなくったって潜《もぐ》れるさ…タンクしょってんだから…
おかげでこの人《ひと》、小《ちい》さい頃からカナヅチのまんま…
よせよもう…
え？小《ちい》さい頃《ころ》からって…

じゃー松崎《まつざき》さんと貴和子《きわこ》さんって幼《おさな》なじみだったんですかー!?
ええ…まあ…
わ——幼《おさな》なじみで結婚《けっこん》だなんて、
まるでウチのお父《とう》さんとお母《かあ》さんみた———い♡
ね!
ね!
フン…幼《おさな》なじみか…
この甘《あま》い響《ひび》きに泣《な》いたカップルが、何組《なんくみ》いた事《こと》か…
気心《きごころ》が知《し》れた仲《なか》と、幻想《げんそう》を抱《いだ》くのは愚《ぐ》の骨頂《こっちょう》…
まー、あんたらには無用《むよう》の事《こと》だと思《おも》うがもし、奥《おく》さんの素行《そこう》に不審《ふしん》を感《かん》じたら…
この毛利探偵事務所《もうりたんていじむしょ》を…
離婚《りこん》の際《さい》、御主人《ごしゅじん》から多額《たがく》の慰謝料《いしゃりょう》を請求《せいきゅう》したい場合《ばあい》は…
この妃法律事務所《きさきほうりつじむしょ》を…

ヨロシク!!!
さむ――…
もーどーしてこーなっちゃうのよ?
そーいえばもう一人《ひとり》のおまえの幼《おさな》なじみはどーした?
ああ伊東《いとう》なら…
潜《もぐ》った後《あと》、この辺《へん》の海《うみ》でシュノーケリングやるっていってたけど…
シュノーケリング?
タンクを背負《せお》わず潜《もぐ》るヤツですよ!
メシも食《く》わずにそれを?
ええ…なんたって彼《かれ》、「女《おんな》より海《うみ》の方《ほう》が好《す》きだ」っていう変《か》わり者《もの》だから…
こりゃーサメと結婚《けっこん》するっきゃねーな!
……
ハハハ

ねえ、はるみ！わるいけど私達《わたしたち》の部屋《へや》から、新《あたら》しいバスタオル取《と》って来《き》といてくんない？
え？
おい、貴和子《きわこ》？まさかこれから…
そう！
私《わたし》もちょっと海《うみ》に入《はい》りたくなっちゃった…
酔《よ》っぱらってて大丈夫《だいじょうぶ》？
明日《あした》にすれば？
平気《へいき》平気《へいき》！そんなに飲《の》んでないし…軽《かる》くシュノーケリング程度《ていど》だから…
じゃーオレも付《つ》き合《あ》ってやろうか？
いいわよ…一人《ひとり》で潜《もぐ》りたいの！
じゃーはるみ！よろしくねー♡
ダッ
貴和子《きわこ》…
ザザザ!…

なんか、海《うみ》しけてきたね…
大丈夫《だいじょうぶ》かなぁ、貴和子《きわこ》……
おーーいる！いる！
あ、洋《ひろし》…河津《かわづ》といっしょか？
さっきトイレでバッタリ会《あ》ったんだよ…
いやー今日《きょう》のポイントは実《じつ》によかった！
伊東《いとう》洋《ひろし》
大学生《だいがくせい》
おや？松崎《まつざき》の嫁《よめ》さんは？
まだ海《うみ》に入《はい》ってるよ…
あれ？会《あ》わなかったか？
いや全然《ぜんぜん》…
あ、ホラあそこよ！手挙《てあ》げてる！
貴和子《きわこ》お〜〜〜〜!!
バシャ バシャ
え？

!?
ガボ
ゴボ!?
ま、まさか…
溺《おぼ》れてる…?
きっ…
貴和子《きわこ》お——っ!!
お、お兄《にい》ちゃん!!
ダッ
き、貴和《きわ》…
貴和子《きわこ》…
バシャ
バシャ
バシャ

バカヤロォ
泳《およ》げねぇ奴《やつ》は
すっこん
でろ!!
落《お》ち着《つ》いて
貴和子《きわこ》!
もう
大丈夫《だいじょうぶ》
だ…
え?
なに?
ま、
雅彦《まさひこ》さん
は…?
奴《やつ》なら
そこで
ズブぬれに
なってるよ…
ハァ
ハァ
そう…
よかった…
ハァ
ハァ
!?

そらよ色男《いろおとこ》！おぶってやりな!!
心配《しんぱい》すんな！きっと足《あし》がつって溺《おぼ》れただけさ…
う、う…
ウミヘビ!?
え？
ま、
まさか…
……ったくだから、よせっていったんだ…
おい、貴和子《きわこ》…
貴《き》…
貴《き》和《わ》子《こ》!?

FILE《ファイル》.4
逃《に》げた凶《きょう》器《き》

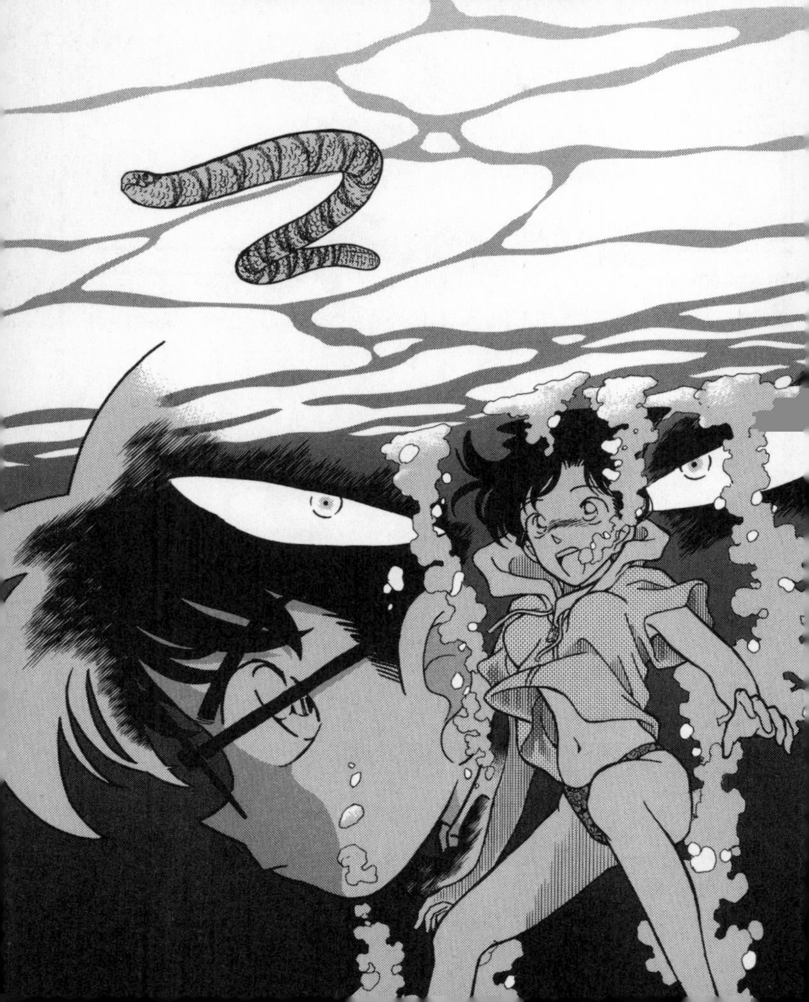

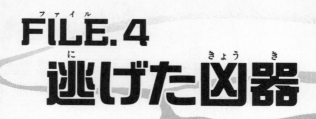

き、貴和子《きわこ》!?
Seaside Restaurant
BIG WAVE
おい、どーした貴和子《きわこ》!?
しっかりしろ!!
動《うご》かすな!!!
え?
もしかしたら貴和子《きわこ》さん、ウミヘビに咬《か》まれたかもしれないぞ!!
バシャ
バシャ

ウ、
ウミヘビだとぉ!?
さっき、みんなのそばにいたんだよ！ウミヘビが!!
だ、だとしたらどこかに牙痕《がこん》があるはずだけど…
う…
ハァ
ハァ
手《て》…
左手《ひだりて》…
左手《ひだりて》?
あ、あった!!
咬《か》まれた跡《あと》だ!!
じゃあ貴和子《きわこ》、本当《ほんとう》にウミヘビに?
とにかく患部《かんぶ》を縛《しば》って毒《どく》を吸《す》い出《だ》そう…
誰《だれ》か縛《しば》れる物《もの》持《も》ってないか?
ハンカチでいいなら…

グッ
き、貴和子《きわこ》…
しかし、よくウミヘビなんて知《し》ってたなボウズ…？
ペッ
おい、ボウズ!?
ダッ
ウミヘビを見《み》たのはわたしです…40cm《センチ》ぐらいあったと思《おも》いますけど…
ハァ
ハァ
どうしたの？
なんだぁ？
溺《おぼ》れかけたけど助《たす》かったんじゃねーのか？
ハァ
ハァ
ハァ
は、早《はや》く救急車《きゅうきゅうしゃ》を…
え？
貴和子《きわこ》さんが手《て》の甲《こう》をウミヘビに…
ハァ
ウ、ウミヘビ!?
おい、ありゃー猛毒《もうどく》だぞ!!
ハァ
ハァ
ガッ

ダッ
お、おい…
なんだ、あいつ？アイスティーなんか持《も》ってって…
タンニンよ…
お茶《ちゃ》に含《ふく》まれるタンニンの成分《せいぶん》で傷口《きずぐち》を洗《あら》い、毒《どく》を中和《ちゅうわ》するのが、ウミヘビに咬《か》まれた時《とき》の最善《さいぜん》の応急処置《おうきゅうしょち》…
もちろん毒《どく》を吸《す》い出《だ》す場合《ばあい》は、その人《ひと》もお茶《ちゃ》で口《くち》をゆすがなきゃアウト…
し、しかしなんであのボウズそんな事《こと》を…
あら、あの子《こ》あれでなかなかキレるのよ…
こんな所《ところ》で手《て》をこまねいて見《み》ている私達《わたしたち》よりよっぽど使《つか》えるわ…
それより問題《もんだい》は、そんな事《こと》も知《し》らなかった元刑事《もとけいじ》さんの方《ほう》じゃなくて？
あん？
とにかく私《わたし》は救急車《きゅうきゅうしゃ》を…あなたはコックに頼《たの》んでタンニンが多《おお》い番茶《ばんちゃ》でも沸《わ》かしてもらってなさい！
ヨロシクね名探偵《めいたんてい》さん？
………

貴和子《きわこ》、貴和子《きわこ》…
貴和子《きわこ》!
ウミヘビを見《み》た方《かた》は?
あ、わたしです!
種類《しゅるい》とかわかりますか?
しゅ、種類《しゅるい》ですか?
図鑑《ずかん》ならホテルの事務室《じむしつ》にありますが…
では、わかり次第《しだい》病院《びょういん》まで連絡《れんらく》を!!
ブロロロ‥
事務室

こ、これです!!
このウミヘビにまちがいありません!!
エラブウミヘビ
エ、エラブウミヘビ!?
なんでこんな奴《やつ》が伊豆《いず》に!?
エラブは黒潮《くろしお》に乗《の》ってたまに来《く》る事《こと》があるんですよ…
チクっとするだけで腫《は》れもないんで、そのまま気《き》づかずに亡《な》くなった漁師《りょうし》さんもいると聞《き》きますし…
あ、あんたらそんな危険《きけん》なウミヘビがいるのに海《うみ》を開《ひら》いていたのか!?
い、いいえ、漁師《りょうし》さんの場合《ばあい》は魚《さかな》に紛《まぎ》れて網《あみ》にかかっていたエラブに不用意《ふようい》に手《て》を入《い》れて偶然《ぐうぜん》咬《か》まれたんです!
エラブはおとなしいヘビで自《みずか》ら人間《にんげん》を襲《おそ》うなんてまず、ありません…
現《げん》に、ホテル創業《そうぎょう》20年間《ねんかん》、お客様《きゃくさま》がウミヘビに咬《か》まれた事《こと》はありませんでしたし…
…となると、エラブの巣《す》にでもイタズラ半分《はんぶん》で手《て》をつっこんだ事故《じこ》としか考《かんが》えられんな…
うん…
いやちがう…

あの牙痕《がこん》は事故《じこ》じゃない…殺人《さつじん》だ!!!
誰《だれ》かがヘビを持《も》って無理矢理《むりやり》貴和子《きわこ》さんを咬《か》ませたんだ!!
海《うみ》の中《なか》で誰《だれ》かが…
…だとするとまさか貴和子《きわこ》さんにかけ寄《よ》った時《とき》に誰《だれ》かが…
いや…あの時《とき》、全員《ぜんいん》手《て》ブラだったし…
貴和子《きわこ》さんが溺《おぼ》れていたからかけ寄《よ》ったんだ…
溺《おぼ》れるかどうかわからないのに、わざわざウミヘビを用意《ようい》して待《ま》ち構《かま》えているバカは、まずいない…
貴和子《きわこ》さんはヘビに咬《か》まれて全身《ぜんしん》が麻痺《まひ》し、溺《おぼ》れたと考《かんが》えた方《ほう》が自然《しぜん》だな…
…となると犯行《はんこう》が可能《かのう》なのはあの人《ひと》だけだ…
貴和子《きわこ》さんが溺《おぼ》れる直前《ちょくぜん》まで海《うみ》の中《なか》にいたあの人《ひと》なら、いくらでも咬《か》ませられる…
でもヘビに咬《か》まれたとわかった後《あと》のあの人《ひと》の処置《しょち》は完璧《かんぺき》だった…
もし犯人《はんにん》なら、殺《ころ》そうとした相手《あいて》にあそこまでするだろうか…?

あの――……このヘビって、羽《はね》が生《は》えてるのなんています？
羽《はね》？
そんな変種《へんしゅ》いませんよ…
おかしいな――…
わたしが見《み》たのは、頭《あたま》の後《うし》ろに小《ちい》さな羽《はね》が生《は》えてた様《よう》な気《き》がしたんだけど…
……
きっと海草《かいそう》か何《なに》かがひっかかってたのよ…
とにかく病院《びょういん》に連絡《れんらく》を!!
は、はい！
しかし、一目《ひとめ》見《み》ただけでそんなに詳《くわ》しく覚《おぼ》えているとはさすが我《わ》が娘《むすめ》!!
強烈《きょうれつ》だったから印象《いんしょう》に残《のこ》ってただけよ…
ホント見事《みごと》な観察眼《かんさつがん》よ、蘭《らん》…
妻《つま》の涼《すず》しい指元《ゆびもと》に気《き》づきもしない、
どっかの誰《だれ》かさんとは雲泥《うんでい》の差《さ》…
あん？
指《ゆび》がなんだって？
別《べつ》に…

なに!?
保険証《ほけんしょう》を持《も》って来《こ》い!?
今《いま》からその病院《びょういん》にか!?
ああ…病院《びょういん》の人《ひと》が一応《いちおう》あった方《ほう》がいいっていうし…
オレ一人《ひとり》じゃ心細《こころぼそ》いし…
貴和子《きわこ》…旅行《りょこう》する時《とき》いつも持《も》ってたから、たぶん彼女《かのじょ》のバッグにあると思《おも》うけど…
そんな事《こと》よりどうなんだ? 貴和子《きわこ》の容態《ようだい》は?
集中治療室《しゅうちゅうちりょうしつ》に入《はい》ったまま出《で》て来《こ》ないよ…
容態《ようだい》が悪化《あっか》したらしくて、医者《いしゃ》がせわしく出入《ではい》りしてるけど何《なに》も教《おし》えてくれないんだ…
貴和子《きわこ》…死《し》んじゃうのかなあ…
バカヤロォ!! 何《なに》、寝言《ねごと》いってんだ!?
保険証《ほけんしょう》持《も》ってすぐ行《い》ってやるからおとなしく待《ま》ってろ!!
確《たし》か貴和子《きわこ》は、はるみさんと同《おな》じ部屋《へや》だったな?
う、うん…

あ、いっけなーい…
カードキー中《なか》に入《い》れたままだ…
ホラ、貴和子《きわこ》に頼《たの》まれてバスタオルを取《と》りに来《き》た時《とき》に…
406
どーしよ…オートロックだから、中《なか》に入《はい》れないよ…
しゃーねーな…オレらの部屋《へや》からフロントに電話《でんわ》して、合《あ》い鍵《かぎ》を持《も》って来《く》るようにいってやるよ…
はい…そうっス…
406号室《ごうしつ》です…
お手数《てすう》かけてすんませーん…
ふう…
ガチャ
ねえ！
わっ!?

な、なんだよボウズいきなり!?
確《たし》か昼間《ひるま》お兄《にい》さん達《たち》、みんなでスキューバダイビングしたっていってたよね?
その時《とき》、何《なに》か捕《つか》まえた人《ひと》いなかった?お魚《さかな》とか…
さぁな…みんなこの辺《へん》の海《うみ》に慣《な》れてて勝手《かって》に潜《もぐ》ってたから、誰《だれ》が何《なに》をしてたかなんてわからねーよ…
雅彦《まさひこ》と貴和子《きわこ》ちゃんはおそろいのウェットスーツでいっしょに潜《もぐ》ってたみたいだけど…
ふーん…仲《なか》がいいんだね…
ああ…洋《ひろし》も含《ふく》めて貴和子《きわこ》ちゃんと雅彦《まさひこ》は幼《おさな》なじみ…ガキの頃《ころ》から三人《さんにん》でつるんで遊《あそ》んでたみてーだぜ…
みんな同級生《どうきゅうせい》なの?
いや…洋《ひろし》と雅彦《まさひこ》はオレとタメだけど貴和子《きわこ》ちゃんは一《ひと》つ下《した》…はるみちゃんと同《おな》い年《どし》だよ!
へーー…
ホントは大学二年《だいがくにねん》の時《とき》、このサークルやめるつもりだったんだけどよー…貴和子《きわこ》ちゃん達《たち》が入《はい》って来《き》て思《おも》いとどまったんだ…一目惚《ひとめぼ》れってヤツかな……
あ…いや……

アホらし…こんなガキに何話《なにはな》してんだオレ…
………
まてよ…て事《こと》はもしかするとあの人《ひと》とあの人《ひと》…
まさか…
ピピピ…
どうぞ!
す、すみません…
え――っと保険証《ほけんしょう》…保険証《ほけんしょう》っと…
ん?
ーったく……
こんな所《ところ》に置《お》き忘《わす》れて……
これだろ?はるみちゃんのカードキー…
う、うん…

それより手伝《てつだ》って！
ないのよ、貴和子《きわこ》の保険証《ほけんしょう》…
わるいわるい…
カバンの底《そこ》の…
タオルの中《なか》だ!!
えっ？
いいから探《さが》してみろ…
……カバンの底《そこ》の…
タオルの…
あ、あった!!
ど、どうして!?
貴和子《きわこ》が小《ちい》さい頃《ころ》、おばーちゃんに教《おそ》わったそうだ…
そーするとなくならないって…
さすが幼《おさな》なじみ！
オレだけじゃない…雅彦《まさひこ》も知《し》ってる事《こと》だ…
あいつはババくさいって笑《わら》ってたがな…
ふーーん…

なぁ 探偵《たんてい》さん! あんた、車《くるま》で来《き》てんだろ?
ああ… レンタカーだが…
だったら、オレ達《たち》三人《さんにん》を病院《びょういん》まで乗《の》せてってくれないか?
おお 構《かま》わんが…
じゃー わたしも乗《の》せてって!
え?
だって貴和子《きわこ》さん心配《しんぱい》だもの…
バーカ! あんな小《ちい》せー車《くるま》に五人《ごにん》も乗《の》れるかよっ。
大丈夫《だいじょうぶ》 蘭《らん》は私《わたし》の車《くるま》で送《おく》ってくから…
どーしたのお母《かあ》さん? その荷物《にもつ》…
あら、わからない? あなたを送《おく》ってった足《あし》でそのまま帰《かえ》るのよ…
ちょっとお母《かあ》さん!
もうこんなヌケサクと同《おな》じ空間《くうかん》にいたくないの…
おい英理《えり》…
なによ
?

後《あと》で話《はなし》がある…
あら何《なに》かしら？
楽《たの》しみね…
ちょ…
ちょっと…
お、お母《かあ》さんとばし過《す》ぎよ！
も──いくら指輪《ゆびわ》に気《き》づいてくれないからって、そんなにスネなくても…
指輪《ゆびわ》じゃないわ…事件《じけん》の事《こと》よ！
事件《じけん》…？

まだ、つじつまが合《あ》わない所《ところ》はあるけれど、
今回《こんかい》のあれは明《あき》らかに殺人事件《さつじんじけん》！
さ、殺人《さつじん》!?
それにまったく気《き》づかない小五郎《あのひと》にあきれて怒《おこ》ってるのよ!!
そう…あれは殺人《さつじん》だ…
犯人《はんにん》の目星《めぼし》もついている…
わからないのは一点《いってん》だけ…
なぜあの人《ひと》は、あの時《とき》あんな事《こと》を…
ねえ…何《なに》かしら？
え？事件《じけん》の事《こと》？
ちがうわよあの人《ひと》の話《はなし》よ…後《あと》で話《はなし》があるっていってたでしょ？
離婚《りこん》の事《こと》…
蘭《らん》の親権《しんけん》の事《こと》…
それとも…
フ…どーせ、何《なに》もありはしないわ…

あの人《ひと》は私《わたし》を試《ため》してるだけなのよ！
いつもそう…動揺《どうよう》させてこっちの出《で》方《かた》をうかがってるだけ…
うぬぼれもいいところだわ!!
蘭《らん》…わるいけど母《かあ》さん、もう限《げん》界《かい》みたい…
お、お母《かあ》さん!?
なるほど……
そーいう事《こと》か…
まちがいない…
犯《はん》人《にん》はあの人《ひと》だ!!!

FILE《ファイル》.5 忘《わす》れちゃいない

―伊豆中央病院《いずちゅうおうびょういん》―
雅彦《まさひこ》〜〜〜〜！
持《も》って来《き》たぞ、貴和子《きわこ》の保険証《ほけんしょう》！
タタタ…
あ、みんな…
それで？貴和子《きわこ》の容態《ようだい》は？
どうなの、お兄《にい》ちゃん？
わからないよ…まだ集中治療室《しゅうちゅうちりょうしつ》から出《で》て来《こ》ないんだ…
それにしてもついてねーよな？ウミヘビに咬《か》まれたなんて…
ああ…
いや…咬《か》まれたんじゃない咬《か》まされたんだ。
ここにいるあの人《ひと》に…

2

じゃあね、蘭《らん》！
貴和子《きわこ》さんの事《こと》わかったら教《おし》えてね…
え～お母《かあ》さん帰《かえ》っちゃうの？
いってたでしょ？お父《とう》さんが後《あと》で話《はなし》があるって…
話《はなし》…？
あのスケコマシの話《はなし》に耳《みみ》を傾《かたむ》ける必要《ひつよう》があると思《おも》う？
お、お父《とう》さん!?
いやあそうですか！
私《わたし》のファンねぇ!!
しゃーねーな…おっちゃんに花《はな》をもたせてやっか！
まーいつもの事《こと》だけど…
ねえ看護婦《かんごふ》さん！
ちょっと頼《たの》みがあるんだけど…
待《ま》ってよ、お母《かあ》さん！
仕方《しかた》ないでしょ？お父《とう》さん有名人《ゆうめいじん》なんだから！
タタ
私《わたし》はねえ！
こんな時《とき》に笑顔《えがお》を見《み》せてるあの男《おとこ》の無神経《むしんけい》さにあきれてるのよ！
だ、だからあれは…
ピンポンパンポーン
御連絡《ごれんらく》します…

クィーン
ホテルから
おこしの
妃《きさき》英《え》理《り》様《さま》…
同《おな》じく
クィーンホテルから
おこしの
松崎《まつざき》はるみ様《さま》…
至急《しきゅう》
院長室《いんちょうしつ》まで…
毛利《もうり》
小五郎《こごろう》様《さま》が
お待《ま》ちです…
え？
オレ？
ピピピ
パシュ
ふにゃ…
も、
毛利《もうり》さん？
あ、
コラ！
ゴメン、
すぐ返《かえ》す
から！

いったいどーいうつもり!?
あんな放送《ほうそう》で呼《よ》びつけて!!
院長室
私《わたし》にいいたい事《こと》があるのならさっさといってくれない?
お、お母《かあ》さん…
こわ——…
あ、あの…お邪魔《じゃま》でしたら私《わたし》、後《あと》で…
貴和子《きわこ》の事《こと》も気《き》になりますし…
ほ——…やはり気《き》になりますか…
まぁ無理《むり》もない…
殺人《さつじん》になるか殺人未遂《さつじんみすい》になるかの瀬戸際《せとぎわ》ですからね…
え?
そう…あれは事故《じこ》じゃない…殺人《さつじん》を目的《もくてき》とした犯行《はんこう》だ…
貴和子《きわこ》さんはウミヘビを持《も》った犯人《はんにん》に、故意《こい》に咬《か》まされたんだ…
5

松崎《まつざき》はるみさん！
あなたにね!!
………
で、でもあれは……
牙痕《がこん》だよ…
ウミヘビの口《くち》はかなり小《ちい》さい…
人間《にんげん》が咬《か》まれるとしたら、指先《ゆびさき》などの細《ほそ》い部分《ぶぶん》だけだ…
なのに貴和子《きわこ》さんは、ウミヘビが咬《か》む事《こと》ができない手《て》の甲《こう》に牙痕《がこん》が付《つ》いていた…
これは明《あき》らかに誰《だれ》かが故意《こい》に咬《か》ませたとしか考《かんが》えられん！
溺《おぼ》れてた貴和子《きわこ》さんにかけ寄《よ》った時《とき》に、隠《かく》し持《も》ってたウミヘビの首《くび》の根《ね》をつまんで強引《ごういん》に口《ぐち》を開《ひら》かせ、牙《きば》をひっかける様《よう》にしてな！

ですよね、はるみさん？
……
なるほど？とぼけたフリして結構《けっこう》、見《み》とおしてたってワケか…
では、伺《うかが》いましょうか名探偵《めいたんてい》さん？犯人《はんにん》をはるみさんと断定《だんてい》している根拠《こんきょ》を…
あの時《とき》、かけ寄《よ》ったのははるみさんだけじゃない…ほかの人《ひと》にもできたんじゃなくて？
それにみんながかけ寄《よ》ったのは、貴和子《きわこ》さんが偶然《ぐうぜん》溺《おぼ》れたから…
それを予測《よそく》して、あらかじめウミヘビを用意《ようい》している人《ひと》なんていないと思《おも》うけど？
あれが偶然《ぐうぜん》じゃなかったとしたら？
貴和子《きわこ》さんがわざと溺《おぼ》れたとしたらどうだ？
ワザと…？
腹《はら》の内《うち》を探《さぐ》りたがるのが男《おとこ》と女《おんな》の性《さが》…気《き》になる相手《あいて》の気《き》を引《ひ》こうとわざと別《べつ》の異性《いせい》と仲《なか》よくしたり…
わざと結婚指輪《けっこんゆびわ》をはめてなかったり…
………
じゃあ、貴和子《きわこ》さん、まさか…

そうだ！貴和子《きわこ》さんは溺《おぼ》れたフリをして、婚約者《こんやくしゃ》の雅彦《まさひこ》さんを試《ため》したんだよ!!
泳《およ》げない雅彦《まさひこ》さんが、危険《きけん》を顧《かえり》みず自分《じぶん》を助《たす》けに来《き》てくれるかどうかをな!!
その証拠《しょうこ》に貴和子《きわこ》さんは助《たす》けに来《き》た人《ひと》の中《なか》に雅彦《まさひこ》さんの姿《すがた》を確認《かくにん》し、こうつぶやいている…
「よかった…」ってね…
でも、雅彦《まさひこ》さんと貴和子《きわこ》さんは来週式《らいしゅうしき》を挙《あ》げるのに、どーして今《いま》さらそんな事《こと》…
…だから余計《よけい》に確《たし》かめたかったのよ…有名人《ゆうめいじん》の小五郎《このひと》にホイホイついて行《い》く自分《じぶん》を、叱《しか》りもしない婚約者《こんやくしゃ》に業《ごう》を煮《に》やしてね…
そして、あらかじめ二人《ふたり》で計画《けいかく》していた「溺《おぼ》れたフリ」を実行《じっこう》したってワケか…
ふ、二人《ふたり》で？
この計画《けいかく》には、溺《おぼ》れている自分《じぶん》の姿《すがた》をすぐに雅彦《まさひこ》さんに知《し》らせる相方《あいかた》が必要《ひつよう》なのよ！
雅彦《まさひこ》さんが気《き》づく前《まえ》に、ビーチにいるほかの客《きゃく》に助《たす》けられでもしたら洒落《しゃれ》にならないでしょ？

その相方《あいかた》があなただったのね、はるみさん？
……
計画開始《けいかくかいし》の合図《あいず》は、貴和子《きわこ》さんがはるみさんにいった「新《あたら》しいバスタオル取《と》って来《き》て」かな？
その後《あと》貴和子《きわこ》さん「ヨロシク」といってたし…たぶん、そんなところね…
でも、あの時《とき》はるみさん、貴和子《きわこ》さんが海《うみ》に入《はい》るの止《と》めたじゃない！
だいいち、探偵《たんてい》のお父《とう》さんがいる目《め》の前《まえ》でそんな事《こと》…
だから止《と》めたんだよ！
オレが見《み》てる前《まえ》だから「明日《あした》にすれば」って…
だが貴和子《きわこ》さんは構《かま》わず計画《けいかく》を強行《きょうこう》した…
はるみさんが、それに乗《じょう》じたもう一《ひと》つの悪《あ》しき計画《けいかく》を立《た》てていたとも知《し》らずにな！
バスタオルを取《と》りに部屋《へや》に戻《もど》ったはるみさんは…
部屋《へや》に隠《かく》しておいたウミヘビをウエストポーチに忍《しの》ばせ、再《ふたた》び海辺《うみべ》のレストランに戻《もど》ったんだ…
そして頃合《ころあ》いを見《み》はからって海《うみ》にいる貴和子《きわこ》さんに合図《あいず》を送《おく》り、溺《おぼ》れたフリをさせ…
みんなといっしょにかけ寄《よ》った時《とき》に…

忍《しの》ばせておいたウミヘビを取《と》り出《だ》して、貴和子《きわこ》さんを咬《か》ませたんだ!!
貴和子《きわこ》さんとはるみさんのどちらが、「溺《おぼ》れたフリ」の計画《けいかく》をもちかけたかはわからんが…
あれがフリだとは思《おも》いもしないオレ達《たち》の目《め》には、ウミヘビに咬《か》まれて体《からだ》が麻痺《まひ》し、溺《おぼ》れたんだとしか映《うつ》らんからな…
おそらくあのウミヘビは、昼間《ひるま》皆《みな》さんで潜《もぐ》った時《とき》に捕《つか》まえたもの…それをこっそりホテルに持《も》ち帰《かえ》ったんだろう…
でしょうね…
動《うご》きの鈍《にぶ》いエラブウミヘビは素手《すで》でも簡単《かんたん》に捕獲《ほかく》できるっていうし…
でも、名探偵《めいたんてい》さんどうする気《き》?
問題《もんだい》の凶器《きょうき》は今《いま》も太平洋《たいへいよう》の大海原《おおうなばら》を優雅《ゆうが》に泳《およ》いでいるのよ?
肝心《かんじん》の凶器《きょうき》が行方不明《ゆくえふめい》じゃ法廷《ほうてい》での立証《りっしょう》は…
いっただろ? 彼女《かのじょ》はウエストポーチにウミヘビを入《い》れてたって…
しかも彼女《かのじょ》は事件以後《じけんいご》、自信《じしん》のためか動揺《どうよう》のためか、オレ達《たち》のそばから一度《いちど》も離《はな》れていない…
きっとまだ残《のこ》っているはずだよ…

彼女《かのじょ》のウエストポーチに、
エラブウミヘビのウロコ付《つ》きのテープがな!!
テープ?
ああ…ただ入《い》れてただけじゃ取《と》り出《だ》す時《とき》に時間《じかん》がかかって妙《みょう》な動作《どうさ》になるし、
へたすりゃ指《ゆび》を咬《か》まれる恐《おそ》れがある…
おそらく彼女《かのじょ》は、ウエストポーチの内部《ないぶ》でウミヘビの体《からだ》の数箇所《すうかしょ》をテープで固定《こてい》し、ヘビの首《くび》だけが外《そと》に出《で》ている状態《じょうたい》にしたんだ!
咬《か》ませる時《とき》にその首《くび》をつかんで一瞬《いっしゅん》で引《ひ》き出《だ》せる様《よう》にな!
じゃーわたしが見《み》たウミヘビの羽《はね》みたいなのって…
たぶんテープの一部《いちぶ》だ!
残《のこ》りのテープはおそらくまだポーチの中《なか》に…
でもまだ、彼女《かのじょ》が本当《ほんとう》にポーチの中《なか》にヘビを入《い》れてたとは…
わかるよ…彼女《かのじょ》のカードキーで!
彼女《かのじょ》が部屋《へや》に忘《わす》れたカードキーの上《うえ》に、コンパクトやサイフがごっそり置《お》かれているのを見《み》てピンときたんだ…
ポーチの中身《なかみ》をすべて取《と》り出《だ》し、別《べつ》の何《なに》かを入《い》れたんじゃないかってな…
で、でも、なんではるみさんが貴和子《きわこ》さんを?お兄《にい》さんの婚約者《こんやくしゃ》をどーして…
……これはあくまでオレの想像《そうぞう》だが…

もしかしたらはるみさんは、雅彦《まさひこ》さんの事《こと》を好《す》きだったんじゃないのかな？
いや、それ以上《いじょう》に愛《あい》していた…
………
お父《とう》さん何《なに》いってんの？はるみさんと雅彦《まさひこ》さんは兄妹《きょうだい》なのよ？
いや、おそらく二人《ふたり》は実《じつ》の兄妹《きょうだい》じゃない…
もしそうなら、幼《おさな》なじみは雅彦《まさひこ》さんと貴和子《きわこ》さんと洋《ひろし》さんと彼女《かのじょ》の四人組《よにんぐみ》のはず…
貴和子《きわこ》さんとはるみさんが同《おな》い年《どし》なら、なおさらな…
じゃあまさか、親《おや》が再婚《さいこん》した時《とき》の連《つ》れ子《こ》？
ああ、たぶんな…
洋《ひろし》さんが年下《としした》のはるみさんを「さん」付《づ》けで呼《よ》んでるところをみると、おそらく大学《だいがく》に入《はい》ってからの…
大学《だいがく》じゃないわ、高二《こうに》の時《とき》よ…
私《わたし》が母《かあ》さんに連《つ》れられて雅彦《まさひこ》さんに初《はじ》めて会《あ》ったのはね…
え？
ちょっと頼《たよ》りないけど、とてもやさしくてどんどんひかれてったわ…
あんな男《おとこ》の人《ひと》まわりにいなかったもの…

でも…雅彦《まさひこ》さんのそばには、いつも貴和子《きわこ》がいた…
貴和子《きわこ》が、子供《こども》の頃《ころ》の雅彦《まさひこ》さんの話《はなし》をする度《たび》に、無性《むしょう》にさみしくて腹《はら》が立《た》ったわ…
「あんたは雅彦《まさひこ》さんの事《こと》をなーんにも知《し》らないのよ」っていわれてるみたいで…
ショックだった…突然《とつぜん》の婚約《こんやく》、そして結婚《けっこん》…
挙《あ》げ句《く》の果《は》てに貴和子《きわこ》は私《わたし》の気持《きも》ちを知《し》ってて、あざ笑《わら》うかの様《よう》にあの計画《けいかく》をもちかけてきたのよ！
お、溺《おぼ》れたフリ？
ね、お願《ねが》い！協力《きょうりょく》して♡
それでウミヘビで彼女《かのじょ》を？
ええ、そうよ！雅彦《まさひこ》さんを貴和子《きわこ》なんかに渡《わた》したくなかったから…
だからだから…
…バカよね…片想《かたおも》いなのに…そんな事《こと》しても雅彦《まさひこ》さんが悲《かな》しむだけなのに…
ホント私《わたし》ってバカ…
………
は、はるみちゃん！
貴和子《きわこ》ちゃんが貴和子《きわこ》ちゃんが…

息《いき》を吹《ふ》き返《かえ》したぞ!!
いや～なんとか血清《けっせい》が間《ま》に合《あ》いました!二《に》、三日《さんにち》、入院《にゅういん》すれば大丈夫《だいじょうぶ》…
あなた方《がた》の応急処置《おうきゅうしょち》のおかげですよ…
よかったな貴和子《きわこ》…
は、はるみは…?
ハッ
ハッ
おい、はるみ呼《よ》んでるぞ!
ホラ、何《なに》テレてんだよ!
あ…
ゴメンね…
え…?

知《し》らなかったのよ、私《わたし》…あなたの気持《きも》ちを…
私《わたし》の所《ところ》にかけつけた時《とき》のあなたの顔《かお》を見《み》るまで、ちっとも…
き、貴和子《きわこ》…
なのに、あんな事《こと》頼《たの》んで…ホントにゴメン…反省《はんせい》してる…
な、何《なに》いってんのよ…わ、私《わたし》は貴和子《きわこ》あんたを…
う…
お、おい…何《なに》かあったのか？
なんでもないわ…
バチが当《あ》たったのよ…人《ひと》の心《こころ》を試《ため》そうとして…
だから、ウミヘビに咬《か》まれたの…
ただそれだけの事《こと》よ…

ふあああぁ…
相変《あいか》わらず名推理《めいすいり》だったよ、お父《とう》さん！
例《れい》によって全《まった》く覚《おぼ》えとらん…
それにお母《かあ》さんの事《こと》もちゃんと気《き》づいてたみたいだし♡
あん？
あら、気《き》づいてて知《し》らないフリしてたなんて、余計《よけい》タチが悪《わる》いんじゃない？
お母《かあ》さん!!
なんの事《こと》だ？
またまたーとぼけちゃってー、指輪《ゆびわ》の事《こと》よ!!
指輪《ゆびわ》ぁ？
あ、それは…
ああ…
ゴソ
コイツの事《こと》か…
ピン
え？

ウソ…
トン
オメーが座《すわ》ってたビーチパラソルの下《した》で、ちゃんと見《み》つけといてやったよ…
ど、どーしてわかったの？私《わたし》があそこで指輪《ゆびわ》を失《な》くしたなんて…
バーカ、髪《かみ》の毛《け》ふきながらメガネかける奴《やつ》なんざいやしねーよ！
ありゃー何《なに》か探《さが》し物《もの》をしてるって証拠《しょうこ》だ！
ビーチで失《な》くす物《もの》っつったら、コンタクトかピアスか指輪《ゆびわ》って、相場《そうば》は決《き》まってんだよ！
えーっ、じゃあヒザに砂《すな》が付《つ》いてたのは指輪《ゆびわ》を探《さが》してたからだったんだー!!
やっぱり気《き》づいてたのかおっちゃん…
そっか！話《はなし》って、指輪《ゆびわ》の事《こと》だったのねー！
そのキレがいつもあれば…
だいたい、わざとらしいんだよ…
ムリして左手《ひだりて》で紅茶《こうちゃ》飲《の》んだり…手《て》をモジモジさせたり…
だ、
だって…

キャーッ
毛利小五郎《もうりこごろう》さんよー!!
はい——♡
ピキ
ナハハハ…
お、お父《とう》さん! お母《かあ》さん!
ギャイギャイ
カッカッ
お母《かあ》さーん!!
ブロロロ
よーし、次《つぎ》こそは必《かなら》ず…
ムリだよ一生《いっしょう》…
オオオオ

FILE《ファイル》.6 どうしよう!?

——米花総合病院《べいかそうごうびょういん》——
だっせーな——…
米花総合病院
階段《かいだん》からおちて骨折《ほねお》っちまうなんてよー…
しかも原因《げんいん》は沖野《おきの》ヨーコのコンサート…
ダメだよ、寝《ね》ぼうしたからって慌《あわ》てて階段《かいだん》降《お》りちゃ…
うるせーな——…
遊《あそ》びに出《で》かけるついでに見舞《みま》いに来《き》た、オメーらにいわれたかねーよ…
あ、バレた？
これから公園《こうえん》でコナン君《くん》にサッカー教《おし》えてもらうの！
だったら早《はや》く行《い》っちまえよ！
まあまあ毛利《もうり》さん！ついでにでもなんでも来《き》てくれれば…

2

ワシにも入院《にゅういん》したての頃《ころ》はいろんな人《ひと》が来《き》てくれたけど、最近《さいきん》はさっぱり…
来《き》てくれるだけありがたく思《おも》わんと…
なあ、お隣《となり》さん？
………
無愛想《ぶあいそう》な方《かた》ですなー…
一週間前《いっしゅうかんまえ》にここに担《かつ》ぎ込《こ》まれた方《かた》ですよ…
なんでも、車《くるま》の事故《じこ》で大火傷《おおやけど》を負《お》われたとかで…
コン
コン
ガチャ
おお、良夫《よしお》か？めずらしいな…
どうだ父《とう》さん、腰《こし》の具合《ぐあい》は？
だいぶよくなったよ…
まったく…ギックリ腰《ごし》で二週間《にしゅうかん》も入院《にゅういん》とは情《なさ》けないわい…
それよりちゃんと、薬《くすり》飲《の》んでんのか？
あ、今日《きょう》の分《ぶん》まだだった…
だめじゃないか、父《とう》さんは糖尿《とうにょう》の気《け》もあるんだから…

ところで弓《ゆみ》ちゃんは？
いっしょじゃないのか？
あ、ああ…弓子《ゆみこ》なら友達《ともだち》とプールに行《い》っちゃったよ。
そうか…ひさしぶりに孫娘《まごむすめ》の顔《かお》を見《み》たかったが残念《ざんねん》じゃ…
仕方《しかた》ないだろ？弓子《ゆみこ》は小学三年生《しょうがくさんねんせい》…
遊《あそ》び盛《ざか》りなんだから…
………
ん？
あんだよ、おっさん…
あ、いえ…
ガンたれてんじゃねーよ！
す、すみません…

4

そういえば、あの犯人《はんにん》捕《つか》まったか?
え?
ホラ、先週《せんしゅう》おまえの勤《つと》め先《さき》の銀行《ぎんこう》を襲《おそ》った強盗《ごうとう》じゃよ!
!?
いや…まだ逃亡中《とうぼうちゅう》だそうだよ…
だったら、この毛利《もうり》小五郎《こごろう》さんに相談《そうだん》してみないか?
何《なに》かわかるかもしれないぞ!!
どうも──!
5
も、毛利《もうり》って…
あの名探偵《めいたんてい》の…
で、でもホラ、怖《こわ》くてオレ机《つくえ》の下《した》で震《ふる》えてただけだから…
情《なさ》けないの──…
じゃあオレ用事《ようじ》があるからそろそろ…
今度《こんど》来《く》る時《とき》は差《さ》し入《い》れでももって来《き》てくれよ!
………

……
ドックン
ドックン
ドキッ
あの──すみません!
警察《けいさつ》の者《もの》ですが…
関口良夫《せきぐちよしお》さんですよね?
は、はい!!
あなたのお父《とう》さんの隣《となり》のベッドに火傷《やけど》を負《お》った男《おとこ》がいますよね?
彼《かれ》を見舞《みま》いに来《き》た人《ひと》とか、いませんでしたか?
さ、さあ…彼《かれ》には今日《きょう》初《はじ》めて会《あ》いましたから…
じゃ、じゃあ私《わたし》は用事《ようじ》がありますので…
タタタ
………
む、無理《むり》だ…
ハァ
ハァ
無理《むり》だ絶対《ぜったい》!
そんな事《こと》…
オレにできるわけが…
ハァ
ハァ
ハァ

おい、どーした?
まさか、今《いま》さらおじけづいたんじゃあるめーな…
し、知《し》っているんですか? あの病室《びょうしつ》には毛利小五郎《もうりこごろう》がいるんですよ!
それに部屋《へや》の外《そと》には刑事《けいじ》がうろうろしてますし…
サツの事《こと》なら気《き》にするな… 手《て》は打《う》ってある…
あの探偵《たんてい》も心配無用《しんぱいむよう》…
問題《もんだい》の3時半前《じはんまえ》には病室《びょうしつ》から消《き》えてるさ…
3時《じ》から始《はじ》まるアイドル番組《ばんぐみ》をロビーで観《み》るそーだ…
見《み》ろよ、今《いま》、ガキ連中《れんちゅう》が車《くるま》イスを借《か》りにいってるよ…
し、しかし父《ちち》の目《め》の前《まえ》でそんな事《こと》…
ちゃんと睡眠薬《すいみんやく》を飲《の》ませたんだろ? じゃあ心配《しんぱい》ねーさ…
む、娘《むすめ》は? 弓子《ゆみこ》は無事《ぶじ》なのか!?
——ったくしゃーねーな…
ピポパポ

ピリリ…
ピリリ…
べいかデパート
ピルッ
何《なに》？どーしたの？
娘《むすめ》？
あの子《こ》なら元気《げんき》にはしゃいでるわよ！
声《こえ》でも聞《き》かせてあげる？
グォン
グォン
パパ？こっちはやさしいお姉《ねえ》さんといっしょでとっても楽《たの》しいよ！
お医者《いしゃ》さんのお話《はなし》が終《お》わったら迎《むか》えに来《き》てね!!
弓子《ゆみこ》ぉ〜〜〜!!!
ピッ
ホラよ…
例《れい》の差《さ》し入《い》れだ…
シュークリーム
………
まだ時間《じかん》はある…
トイレにでも入《はい》って落《お》ち着《つ》いてからやれ…
娘《むすめ》のためにもな…

8

TOILET
もーー
遅《おそ》いよ！コナン君《くん》！
ゴメンゴメン…
あの火傷《やけど》の男《おとこ》は強盗団《ごうとうだん》の一味《いちみ》だよ…逃亡中《とうぼうちゅう》に事故《じこ》ったんだ…
あの男《おとこ》の車《くるま》と現場《げんば》で目撃《もくげき》された車《くるま》が一致《いっち》しとるし、まちがいないだろう…
確《たし》か医者《いしゃ》が奴《やつ》を診断《しんだん》するのは3時半《じはん》だったな…
とりあえずワシは署《しょ》に戻《もど》るから、奴《やつ》が尋問《じんもん》に耐《た》えられる体《からだ》とわかったらすぐにしょっぴいて来《こ》い！
わかりました警部《けいぶ》!!
け、警部《けいぶ》!?
チャ、チャンスだ!!
い、今《いま》ここにはオレを見張《みは》ってたあいつはいない…
ここでこの警部《けいぶ》さんにすべてを話《はな》せばもしかしたら…
もしかしたら…
あ、あ、あの…
ん？
どうかしましたか？
あ、はい…
じ、実《じつ》は…

ふざけるなよ…
え？
仲間《なかま》から聞《き》いてるはずだ…おまえは常《つね》にオレ達《たち》の監視下《かんしか》にあると…
今度《こんど》なめたマネをすれば即《そく》、決断《けつだん》を下《くだ》すぞ…
ん？なんなんだね？
気分《きぶん》が悪《わる》いから、薬《くすり》か何《なに》か持《も》ってないかって…
そんな事《こと》、警察《けいさつ》じゃなく医者《いしゃ》にいってくださいよ…
まったくだ…
ハハバ
………
バタン

ダメだ…八方塞《はっぽうふさ》がりだ…
もう誰《だれ》も信《しん》じられない…
3時《じ》24分《ぷん》…
タイムリミットは3時半《じはん》…
それまでにやらなきゃ…
やらなきゃ弓子《ゆみこ》が…
弓子《ゆみこ》があの屋上《おくじょう》から…
そうだ、やらなきゃやられるんだ…
グッ
奴《やつ》らはバレない様《よう》にうまく処理《しょり》するっていってたし…
あ、相手《あいて》は強盗団《ごうとうだん》の一人《ひとり》みたいだし…
やったって…
やったって誰《だれ》も…
やめなよ…

え？
おじさん、あの火傷《やけど》の人《ひと》を殺《ころ》すように頼《たの》まれたんでしょ？
そのシュークリームの箱《はこ》に入《はい》っている凶器《きょうき》で……
ど、どうしてそれを!?
しっ！こっちを見《み》ないで…奴《やつ》らに気《き》づかれる…
そのシュークリームの箱《はこ》さ…
糖尿病《とうにょうびょう》を患《わずら》っている父親《ちちおや》に甘《あま》い物《もの》は禁物《きんもつ》…
用《よう》があるって部屋《へや》を出《で》たあなたが、父親《ちちおや》への差《さ》し入《い》れでもないそんな箱《はこ》を抱《かか》えて未《いま》だに病院《びょういん》にとどまってる姿《すがた》を見《み》れば、
誰《だれ》だって何《なに》かあるなと思《おも》うよ…
それに病院内《びょういんない》での携帯電話《けいたいでんわ》の使用《しよう》は御法度《ごはっと》…
そんな物《もの》をちらつかせながら、あなたを監視《かんし》する妙《みょう》な男達《おとこたち》もうろついてるしね…

あのデパートの屋上《おくじょう》で、娘《むすめ》さんが人質《ひとじち》に取《と》られているんでしょ？
あなたは窓《まど》の外《そと》をチラチラ見《み》ながら娘《むすめ》さんの名《な》をつぶやいているし、
あそこからこっちを双眼鏡《そうがんきょう》でのぞいてる妙《みょう》な人《ひと》の影《かげ》も見《み》えたし…
わ、罠《わな》にはまったんだ…
「父《ちち》の容態《ようだい》の事《こと》でオレと娘《むすめ》に話《はなし》がある」って電話《でんわ》でここに呼《よ》ばれて、着《つ》いたら私《わたし》だけ別室《べっしつ》に連《つ》れて行《い》かれ娘《むすめ》と離《はな》されて…
娘《むすめ》の命《いのち》が惜《お》しければあの火傷《やけど》の男《おとこ》を殺《ころ》せ…
恨《うら》むんなら、偶然《ぐうぜん》おまえのおやじと同室《どうしつ》になったあの男《おとこ》を恨《うら》むんだな…
奴《やつ》らはあなたも殺《ころ》す気《き》だよ…
え？
あなたが火傷《やけど》の男《おとこ》を殺《ころ》した直後《ちょくご》に、あの怪《あや》しい警官《けいかん》が病室《びょうしつ》に踏《ふ》み込《こ》んで…
おそらく奴《やつ》らの正体《しょうたい》は例《れい》の銀行強盗団《ぎんこうごうとうだん》…
逃《に》げおくれた仲間《なかま》の口《くち》を封《ふう》じて、あなたにすべての罪《つみ》を被《かぶ》せるつもりさ。あの銀行《ぎんこう》の行員《こういん》であるあなたが黒幕《くろまく》だったという筋書《すじが》きでね…
そ、そんなまさか…
トイレで警部《けいぶ》に聞《き》いた情報《じょうほう》を元《もと》に推理《すいり》を組《く》み立《た》てると、だいたいこんなトコさ…
マ、マズイ3分前《ぷんまえ》だ！もう行《い》かなきゃ!!
くそっ元太達《げんたたち》間《ま》に合《あ》いそーにねーな…
ここにいる奴《やつ》らの人数《にんずう》もわからねーし…
しゃーねーな…

わぁーっ シュークリーム だーー♡
え？
おじさん、一《ひと》つ食《た》べさせてー!!
あ、ちょっ…
あれれ〜〜〜？
パカ
中《なか》にテッポウが入《はい》ってるよ！
かーっくいーーっ♡
あ、ああ…
な!?
に!?
やっぱり二人《ふたり》か!!!

コラ、ボウズ!?
ダメじゃないかイタズラしちゃ!!
は、放《はな》してよ〜〜〜
ダッ
バタ
バタ
え?
ドッ
ボン
ドゥ
ドカ
ドッ
お、おい…

なんだなんだ?
ゾロ
ゾロ
なんかボクのボール踏《ふ》んで、転《ころ》んじゃったみたいだよ…
ちっ…
ダッ
やべ、もう一人《ひとり》いた!!
ピッ!!
ピッ!!
なに?成功《せいこう》したの?
いや、失敗《しっぱい》だ!
ガキを人質《ひとじち》にしてそこから早《はや》く…
プス
……
ちょっと、もしもし?
バカヤロォ、わからねーのか?
下《した》だ!!
病院《びょういん》の玄関口《げんかんぐち》をのぞいてみろ!!
え?

ドガッ
BAKER
ふー……
ちょっと、お姉《ねえ》さん?
弓子《ゆみこ》ちゃーん!
弓子《ゆみこ》ちゃんはいませんか——!!
タタタ…
弓子《ゆみこ》はわたしだけど…
じゃああなたといっしょにいる人《ひと》って、この女《おんな》の人《ひと》?
のびてるけど、一応《いちおう》コナンにいわれた事《こと》伝《つた》えとくか!
「計画《けいかく》は失敗《しっぱい》、連絡《れんらく》は後《あと》でとる。ガキは置《お》いてすぐにズラかれ」
なんの事《こと》だろーね…

パパア!!
ゆ、弓子《ゆみこ》!!
タタタ…
弓子《ゆみこ》〜〜〜!!
ギュッ
目暮警部《めぐれけいぶ》にここに来《く》るように連絡《れんらく》しといたから…
警部《けいぶ》にすべて話《はな》せばうまくやってくれるよ!
おい、早《はや》く行《い》こーぜコナン!
おう!
あ、あの…
君《きみ》はいったい…?
江戸川《えどがわ》コナン、
探偵《たんてい》さ!
ファン
ファン

FILE《ファイル》.7
時計《とけい》が…

ブロロロロロ
拝啓《はいけい》毛利《もうり》小五郎様《こごろうさま》、突然《とつぜん》のお手紙《てがみ》失礼《しつれい》します…
単刀直入《たんとうちょくにゅう》に申《もう》しますと、今《いま》、私《わたし》の家《いえ》で起《お》きている奇妙《きみょう》な出来事《できごと》を名探偵《めいたんてい》であるあなたに、解《と》いていただきたいのです…
私《わたし》の家《いえ》と申《もう》しましても、先日《せんじつ》、私《わたし》の祖父《そふ》が他界《たかい》した際《さい》に譲《ゆず》り受《う》けた古《ふる》びた洋館《ようかん》でして…
そこに越《こ》した矢先《やさき》に不思議《ふしぎ》な出来事《できごと》が毎日続《まいにちつづ》き、最近《さいきん》では誰《だれ》かにのぞかれている気配《けはい》さえも感《かん》じる始末《しまつ》…
私《わたし》もミステリー作家《さっか》の端《はし》くれですので、いろいろと知恵《ちえ》を絞《しぼ》りましたが、
何分《なにぶん》越《こ》して来《き》て日《ひ》が浅《あさ》く家《いえ》の勝手《かって》もわかりませんし、一人《ひとり》で考《かんが》えていてもらちが明《あ》かないと思《おも》い、お手紙《てがみ》を差《さ》し上《あ》げた次第《しだい》でございます…
思《おも》いおこせば、今際《いまわ》のきわに祖父《そふ》が私《わたし》につぶやいた、
「おまえにやる洋館《ようかん》は特別《とくべつ》じゃ」という一言《ひとこと》が妙《みょう》に気《き》にかかります…
もし興味《きょうみ》がおありでしたら、午前《ごぜん》10時半前《じはんまえ》におこしください。御連絡《ごれんらく》お待《ま》ちしております…
中村《なかむら》 操《みさお》…
ます…
中村 操

まっててね、操《みさお》ちゃん♡
ズバリ、20代後半《だいこうはん》のさみしがり屋《や》の才女《さいじょ》と見《み》た!!
え？
そーかなー……30代前半《だいぜんはん》のシブいおじさんって感《かん》じだけど…
バーロ。でなきゃせっかくの日曜日《にちようび》！
わざわざ車《くるま》借《か》りて出向《でむ》いたりするか！
電話《でんわ》で連絡《れんらく》とったんなら、男《おとこ》か女《おんな》かぐらいわかってるんじゃないの？
フン！電話《でんわ》なんてしてねーよ！
アポなしで突然《とつぜん》現《あらわ》れて感動《かんどう》のごたいめーん…てなもんよ！
ナハハハハ
感動《かんどう》させてどーする気《き》よ？
どーしよーもねーな、このおっさん…
コナン君《くん》はどー思《おも》う？男《おとこ》か女《おんな》か…
え？
さあ…
字《じ》もきれいだし…
女《おんな》の人《ひと》じゃないの…
ピク
毛利小五郎

これはこれは毛利《もうり》さん！
来《き》てくださったんですね！
さ、さ、あいさつは中《なか》に入《はい》ってから…
は、はぁ…
ホラ、わたしのいったとおり！
ねえ、この手紙《てがみ》出《だ》したのおじさんなの？
いいや、その手紙《てがみ》を書《か》いたのは私《わたし》の三《みっ》つ下《した》の…
い、
妹《いもうと》さんとか!?
弟《おとうと》の操《みさお》です！
どーもどーも！
あ、そう…

この洋館《ようかん》を譲《ゆず》り受《う》けたのは僕《ぼく》なんですが、広《ひろ》すぎるので兄《あに》と二人《ふたり》で越《こ》して来《き》たんです…
どうされたんですか？その手《て》…
棚《たな》を動《うご》かしてたらちょっと…
大変《たいへん》ですなぁ作家《さっか》さんなのに…
軽《かる》い捻挫《ねんざ》です…医者《いしゃ》が大《おお》げさに包帯《ほうたい》を巻《ま》いただけですよ…
さぁとにかく中《なか》へ…
どうしたの？コナン君《くん》……
なんか変《へん》じゃない？コレ…
あっちの手《て》スリの柱《はしら》のテッペンには、虎《とら》がついてるのに…
こっちにはないでしょ？
代《か》わりに変《へん》な穴《あな》が空《あ》いてるし…
何《なに》かつける予定《よてい》だったのをやめちゃったんじゃない？
おい、早《はや》く中《なか》に入《はい》れ！
はーーい！
バタン

わぁーーっ!!
かわいーーっ♡
家具《かぐ》や食器《しょっき》のほとんどに動物《どうぶつ》がついてる!!
死《し》んだ祖父《そふ》は無類《むるい》の動物好《どうぶつず》きだったんですよ…
欲望《よくぼう》のために人《ひと》をだまして暴利《ぼうり》をむさぼる人間《にんげん》よりも、
ただ生《い》きるために獲物《えもの》を狩《か》る、獣達《けものたち》の方《ほう》がはるかにマシ、というのが祖父《そふ》のロ《くち》グセでしてねーー…
しかし動物《どうぶつ》もさることながら、時計《とけい》もたくさんありますなー…
当《あ》たり前《まえ》ですよ…祖父《そふ》は時計職人《とけいしょくにん》だったんですから…
時計職人《とけいしょくにん》?

ええ、祖父《そふ》の名《な》は出渕紋時郎《いずぶちもんじろう》。
その筋《すじ》じゃ結構名《けっこうな》が通《とお》っていて、
「紋時郎《もんじろう》の時計《とけい》は一生物《いっしょうもの》」とまでいわれた腕利《うでき》きの職人《しょくにん》でした…
じゃあ、このウサギのデジタル時計《どけい》も？
いや…祖父《そふ》の作品《さくひん》は、ネジ式《しき》のヤツだけですよ…
ほかのはたぶん趣味《しゅみ》で集《あつ》めた物《もの》でしょう…
なるほど…デジタル時計《どけい》には傷《きず》がついてる…
自分《じぶん》の作品《さくひん》以外《いがい》は結構《けっこう》、乱暴《らんぼう》に扱《あつか》ってたってわけか…
ホラ、これも！
これも！
変《へん》ですね――…祖父《そふ》は物《もの》を大切《たいせつ》にする人《ひと》だったんですが…
変《へん》っていうなら、この時計《とけい》もおかしくない？
え？
ほかの時計《とけい》にはみんなどこかに動物《どうぶつ》がついてるのに、これにはないよ！
何《なに》かがくっついてた跡《あと》はあるのに…
落《お》としてもげちまったんだよきっと…
この写真《しゃしん》の人《ひと》が紋時郎《もんじろう》さんですか？
ええ…

もう随分前《ずいぶんまえ》の写真《しゃしん》ですよ…
いっしょに写《うつ》ってる女《おん》の子《こ》は？
ああ…祖父《そふ》の友人《ゆうじん》のお孫《まご》さんですよ…
昔《むかし》は私《わたし》や弟《おとうと》もよくゴルフ場《じょう》に連《つ》れ出《だ》されたもんです…
じゃこのゴルフバッグは紋時郎《もんじろう》さんの…
ん？
「デーモン」……？
Demon
「鬼《おに》」の事《こと》ですよ！
よくいうでしょ？ゴルフで100以上《いじょう》たたく人《ひと》の事《こと》を「三《み》ツケタ」からとって「隠《かく》れん坊《ぼう》の鬼《おに》」って！
スコアが伸《の》びない祖父《そふ》をちゃかして、我々《われわれ》がプレゼントしたんです！
ホ――……
そーいえば「デーモン」って昔《むかし》そんな名前《なまえ》の窃盗団《せっとうだん》いなかった？
あん？
ホラ、悪徳企業《あくとくきぎょう》やズル賢《がしこ》い業者《ぎょうしゃ》からしか盗《ぬす》まないっていう…
バーロ、それは「デーモン」じゃなくて…
疾風《かぜ》の盗賊団《とうぞくだん》「ゴブリン」だよ！

ガシャ
わっ とっと…
すみません…
手伝《てつだ》いもしないで…
カラン
カラン
これ、わたしがかたづけますので、
あ、どうも……
ん？
これもそうだ…
ほかのカップには取《と》っ手《て》に動物《どうぶつ》がついているのに、
これにはそれがない…
しかもとれた跡《あと》に丁寧《ていねい》にヤスリがかけてある…
壊《こわ》れてとれたのなら、接着剤《せっちゃくざい》で着《つ》け直《なお》せばすむはずだ…
なのにどーして…？
で？

そろそろ話《はな》してくださいよ…例《れい》の「奇妙《きみょう》な出来事《できごと》」を…
ああ、時計《とけい》の事《こと》ですね…
時計《とけい》？
10時《じ》48分《ぷん》か…
丁度《ちょうど》いいな…
まずは書斎《しょさい》に来《き》てください。
お見《み》せしましょう…
あれ？
ガチャ
カチャ
あれ？
くそっ、またどっかつっかかってる…
おいおい、忘《わす》れたのかそのドアは右下《みぎした》を…
ギィ
だろ？
ああそうだった…

10

このクソ暑《あつ》いのにカーテン閉《し》めきってるんですか？
ホラ、手紙《てがみ》に書《か》いたでしょ？誰《だれ》かにのぞかれてる気《き》がするって…
シャッ
だからですよ…
ん？
キラ
こんな所《ところ》に穴《あな》が空《あ》いてるよ！
もうかなりくたびれてるからね、この洋館《ようかん》…
それで？時計《とけい》とは？
あ、はい…
え――っと鳩時計《はとどけい》なんですけど…
シャッ
あれ？
これじゃないんですか？
あ、はいそれです！
――ったく…

見《み》たところ、普通《ふつう》の鳩《はと》時計《どけい》にしか見《み》えんが…
カチ
カチ
コチ
これが何《なに》か…?
時間《じかん》になったら鳴《な》くんですよ…
当《あ》たり前《まえ》でしょうが!! 鳩《はと》時計《どけい》なんだから…
いえ、中途半端《ちゅうとはんぱ》な時間《じかん》に鳴《な》くんです…
10時《じ》50分頃《ぶんごろ》に一回《いっかい》…
そして時計《とけい》についている小窓《こまど》から…
鳩《はと》じゃなく妙《みょう》な物《もの》が…
妙《みょう》な物《もの》?
まあ見《み》ててください…
そろそろですよ…
カチ
コチ
カチ
カチ

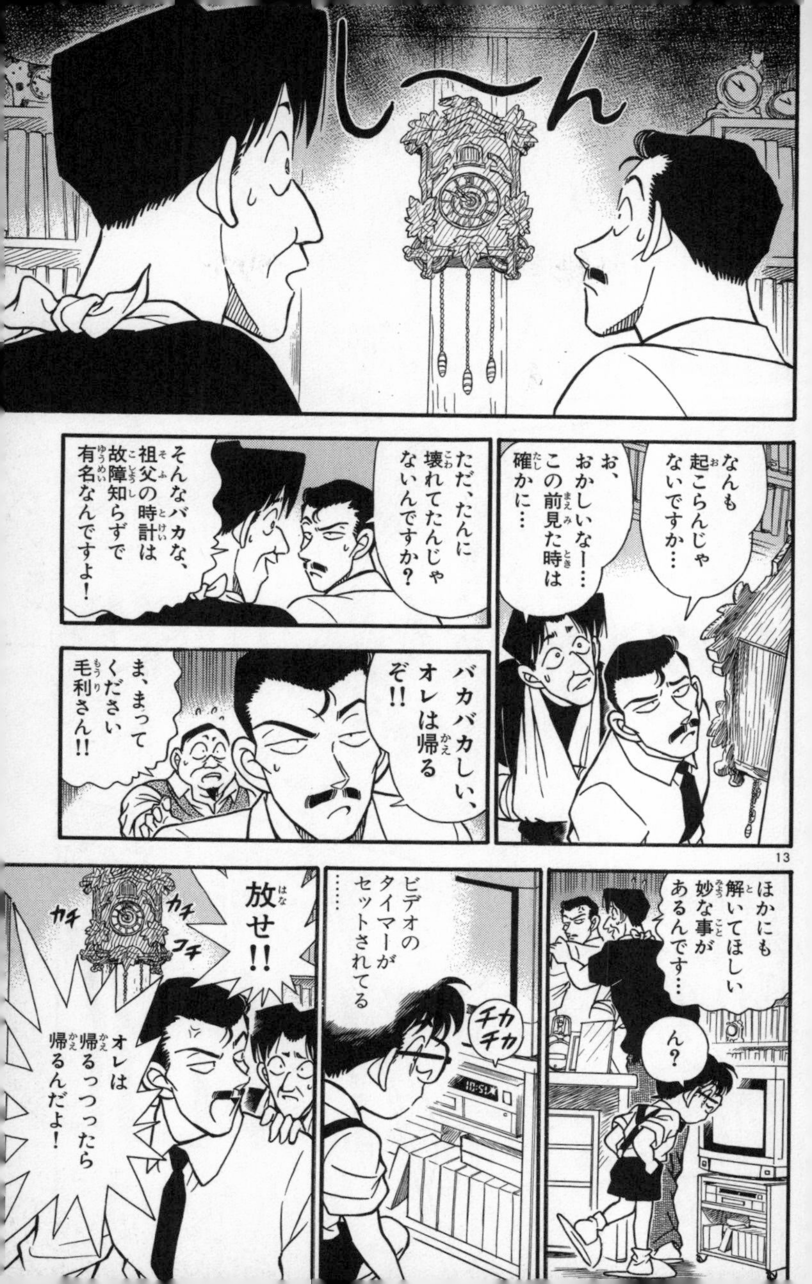
しーん
なんも起《お》こらんじゃないですか…
お、おかしいなー…この前《まえ》見《み》た時《とき》は確《たし》かに…
ただ、たんに壊《こわ》れてたんじゃないんですか?
そんなバカな、祖父《そふ》の時計《とけい》は故障《こしょう》知らずで有名《ゆうめい》なんですよ!
バカバカしい、オレは帰《かえ》るぞ!!
ま、まってください毛利《もうり》さん!!
ほかにも解《と》いてほしい妙《みょう》な事《こと》があるんです……
ん?
カチカチ
ビデオのタイマーがセットされてる……
放《はな》せ!!
オレは帰《かえ》るっつったら帰《かえ》るんだよ!
カチ
コチ
カチ

カチッ
カチッ
11:00
カチッ
11:00
カチッ
1:00
カチッ
11:00
え？
ピクッ
11:00

15

こ、これはいったい…
お父《とう》さん大変《たいへん》よ!!
家中《いえじゅう》の時計《とけい》が一斉《いっせい》に鳴《な》り出《だ》したのよ!!
い、家中《いえじゅう》だと?
ウィィン
ビデオデッキまで動《うご》いてやがる…
ウィイン
11:00
いったい何《なに》が…
ど――なってんだ!?

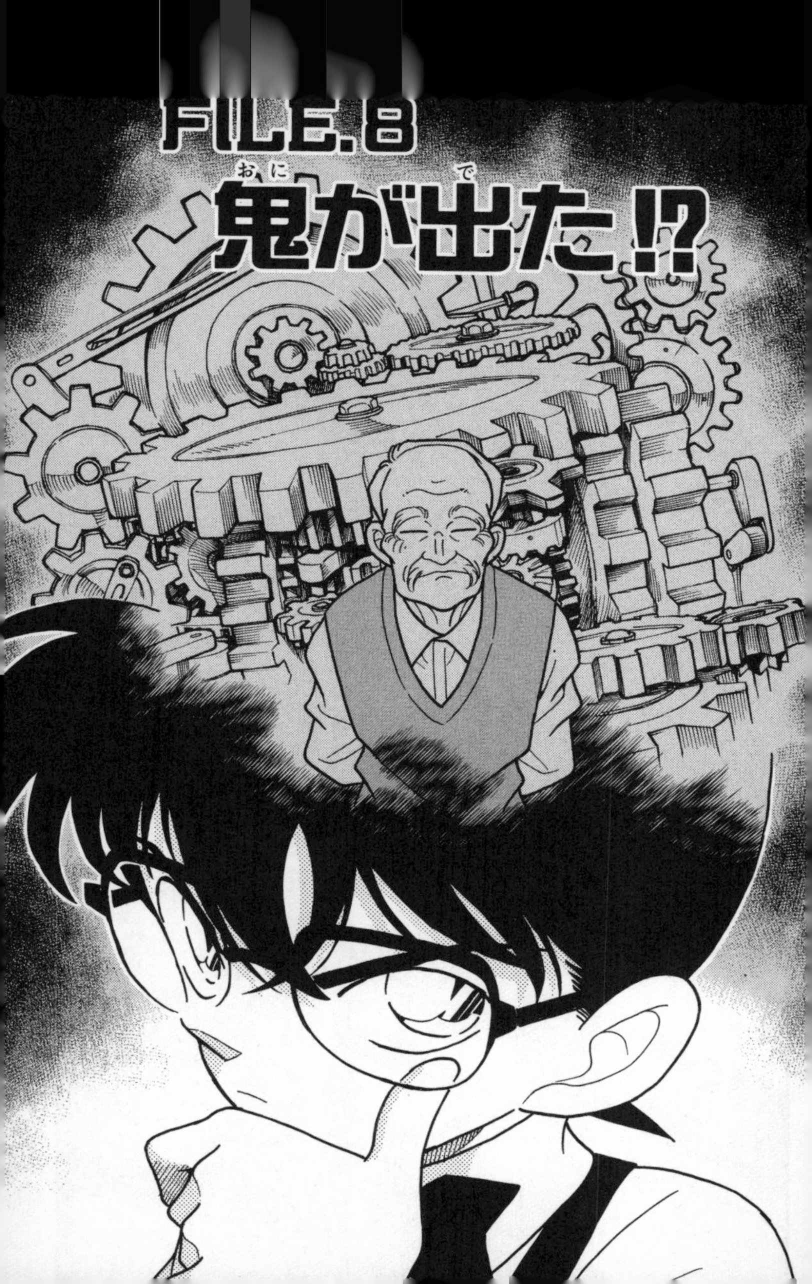
FILE.8
鬼《おに》が出《で》た!?

ピピピピ
トゥルルルルル
トゥルルル
ピピピピ
い、家中《いえじゅう》の時計《とけい》が鳴《な》ってるだと？
いったい何《なに》が…
ピピピピ
トゥルル
どーなってんだ!?
ウィーン
カシャ

2

ピタッ
と…
止《と》まった…
ビデオも動《うご》いたのは1分間《ぷんかん》だけ…
でもなんで…？
ハ！
ス！
スー
ハ！
ス！
ハー

スーー！
ハーー！
スーー
ガタッ
え？
なに？今《いま》の…
猫《ねこ》ですよ…
屋根裏《やねうら》に大《おお》きな猫《ねこ》が住《す》みついてて手《て》を焼《や》いてんです…
それより解《と》けませんか？毎日《まいにち》午前《ごぜん》11時《じ》に一斉《いっせい》に鳴《な》り出《だ》す時計《とけい》の謎《なぞ》…
さあ…案外《あんがい》あんたらの祖父《そふ》、紋時郎《もんじろう》さんのイタズラなんじゃないんですか？
でも変《へん》じゃなーい？
ボクがイタズラすんなら、家中《いえじゅう》の時計《とけい》が鳴《な》るようにセットするけど…
鳴《な》ってたのはデジタル時計《どけい》だけみたいだよ…
デジタルだけ？
うん！ボク見《み》てたけど、あの鳩時計《はとどけい》もこの目覚《めざ》まし時計《どけい》も針付《はりつ》きのは全部《ぜんぶ》静《しず》かだったもん！

ホントだ──アナログ時計《どけい》はみんなスイッチが切《き》ってある…
あんたらが切ったんじゃないのか?
いいや…この謎《なぞ》が解《と》けるまで時計《とけい》には触《さわ》らない様《よう》にしてましたので…
時計《とけい》だけじゃなく、このビデオデッキも動《うご》いてたよ…
ビデオ…?
そうか!きっと紋時郎《もんじろう》さんは毎日《まいにち》11時《じ》から観《み》たいTV《テレビ》番組《ばんぐみ》があったんだ!!
だから目覚《めざ》ましをセットして…
でも、目覚《めざ》ましの数《かず》多過《おおす》ぎない?
目覚《めざ》めの悪《わる》いジィさんだったんだろーよ…
ピッ
とにかくビデオの中身《なかみ》を見《み》れば、一目瞭然《いちもくりょうぜん》だよ…
キュルル
ピッ
ザザ
5
このTV《テレビ》、アンテナにつながってないよ…
…らしいな…
録画予約《ろくがよやく》してんのに目覚《めざ》ましかけるかっつーの…
ザザ
じゃーなんでセットされてんだ、このビデオ…
あれれ──
ん?
ホラ、見《み》てよ数字《すうじ》のトコ…

0《ゼロ》の後《あと》に変《へん》な傷《きず》が入《はい》ってるよ!
あん?それがなんだっつーんだ…
でも、このデジタル時計《どけい》にも傷《きず》がついてるよ…
ホラ、同《おな》じ所《ところ》に…
そーいえばこれにも…
おいおい…
こ、これにも…
じゃーなにか?まさかこの110《イチイチゼロ》って数字《すうじ》…
ひょっとして、紋時郎《もんじろう》さんがあんたらに託《たく》した…
暗《あん》号《ごう》…

6

か——もね♡
110《イチイチゼロ》が暗号《あんごう》だとすると、デジタル時計《どけい》だけが鳴《な》ってたのもうなずけます！
アナログじゃ11時《じ》に鳴《な》ってもただの11としか読《よ》みとれませんから…
でも、なんだろ110《イチイチゼロ》って…
110番《ばん》っていえば警察《けいさつ》…
警察《けいさつ》っていえば…
……
え？
な、何《なに》か？
そうか犬《いぬ》だ!!
警察《けいさつ》っていったら警察犬《けいさつけん》だよ!!
この「110《イチイチゼロ》」っていうのは、この家《いえ》の中《なか》に置《お》いてある動物《どうぶつ》の中《なか》から、犬《いぬ》を選《えら》び出《だ》せって事《こと》なんだよ!!
よーし、みんなで手分《てわ》けして犬《いぬ》という犬《いぬ》をリビングに集《あつ》めるんだ!!
きっとどれかの犬《いぬ》に、何《なに》かが隠《かく》されてるはずだ!!

コリー…
シェパード…
シベリアンハスキー…
土佐犬《とさいぬ》…
ドーベルマン…
警察犬《けいさつけん》っていえばドーベルマンだが…
なーんもねーな…
もしかしてダルメシアンじゃない？
ホラ、そんなワンちゃん映画《えいが》あったし♡
そりゃー101《ワンオーワン》だよ…
まだどこかに犬《いぬ》があるかもしれん！探《さが》して来《き》てくれ！
は――い…
犬《いぬ》、犬《いぬ》…
犬《いぬ》と…
ん？屋根裏部屋《やねうらべや》…
鍵《かぎ》が掛《か》かってる…
ガチャ
ガチャ
ん――…

え？
コラ、コラ！その部屋《へや》には何《なに》もないよ…
それにこの階段《かいだん》は手《て》スリがなくて危《あぶ》ないんだ…
さあ、おじさんと下《した》に降《お》りよう…
あ、でも部屋《へや》の中《なか》に誰《だれ》かが…
猫《ねこ》だよ猫《ねこ》！
ボウヤが危《あぶ》ない目《め》にあったらきっと猫《ねこ》さんも悲《かな》しむんじゃないかな？
ねえコナン君《くん》、さっきの書斎《しょさい》もう一度《いちど》探《さが》してみよっか！
う、うん…
………

おかしい…
おかし
すぎる…
絶対《ぜったい》
なんかあるぞ
この洋館《ようかん》…
ガラ
ん？
ゴブリン…
FILE "Goblin"
まさか
例《れい》の…
パラ
やっぱりそうだ！
盗賊団《とうぞくだん》
「ゴブリン」の
犯罪記事《はんざいきじ》!!
盗賊
またもゴブリン
疾風の盗賊団!!
ゴブリン襲来
でも、なんで
こんな記事《きじ》が
ファイルして
あんだ？
「ゴブリン」が
活動《かつどう》を停止《ていし》してから
もう10年《ねん》もたつのか…
大胆不敵な手口
推定団員数《すいていだんいんすう》8名《めい》…
リーダーは通称《つうしょう》
デーモンと呼《よ》ばれ…
現場に残された
不気味なゴブリン人形
!?
ブリン逃走中
デーモン
……？
ん？
鏡《かがみ》…

あれ？この鏡《かがみ》机《つくえ》の上《うえ》に固定《こてい》してある…
なんで…？
グッ
………
そーいえば後《うし》ろの壁《かべ》に穴《あな》が空《あ》いてたな…
そして穴《あな》の真上《まうえ》には鳩時計《はとどけい》…
カチッ
XII
パカ
え？
きゃあああああ
どうした蘭《らん》!?
ダッ
あ…
あれ…

キィーー!
キァーー!
キィー!
鳩時計《はとどけい》から
鬼《おに》の人形《にんぎょう》…?
気持《きも》ちわるーい…
あ、あれです!
僕《ぼく》がこの前見《まえみ》た
奇妙《きみょう》な物《もの》とは…
なに!?
見《み》て!
三匹《さんびき》の鬼《おに》の頭《あたま》に
何《なに》か文字《もじ》がついてるよ!
え?
右《みぎ》の鬼《おに》が
「R《アール》」…
中央《ちゅうおう》の鬼《おに》が
「N《エヌ》」…
左《ひだり》の鬼《おに》が
「L《エル》」か…

左右《さゆう》の鬼《おに》の文字《もじ》はレフトとライトを意味《いみ》しているとしても、中央《ちゅうおう》のN《エヌ》ってなんなんだ？
North《ノース》、北《きた》か？
キィキィ
カチ
パタン
止《と》まった…
今《いま》の鬼《おに》、いつから鳴《な》き始《はじ》めた？
1時《じ》10分《ぷん》丁度《ちょうど》よ…
となるとまた「110《イチイチゼロ》」か…
でもおかしいな…僕《ぼく》が前《まえ》に見《み》た時《とき》は、確《たし》かに10時《じ》50分頃《ぷんごろ》に鳴《な》き始《はじ》めたと…
お、おい…まさか今《いま》の人形《にんぎょう》…
あ！
ん？なんですか？
あ、いえ別《べつ》に…
なーーるほど…

だいぶ読《よ》めてきたぜ…
ここで何《なに》が起《お》こっているのかが…
でもまだだ…
スタッ
まだ見《み》えてこない…
紋時郎《もんじろう》さんがこの家《いえ》に残《のこ》した…
奇妙《きみょう》な痕跡《こんせき》や仕掛《しか》けの意味《いみ》が…
11時《じ》に一斉《いっせい》に鳴《な》り始《はじ》めたデジタル時計《どけい》とビデオデッキ…
その時間標示《じかんひょうじ》パネルの同《おな》じ箇所《かしょ》につけられた意味深《いみしん》な傷《きず》…
1時《じ》10分《ぷん》に突如《とつじょ》鳴《な》き始《はじ》めた鳩時計《はとどけい》…
そしてその小窓《こまど》から出《で》て来《き》た三匹《さんびき》の鬼《おに》と、その鬼《おに》の頭《あたま》に刻《きざ》み込《こ》まれた「L《エル》」、「N《エヌ》」、「R《アール》」のアルファベット…
11:00
11:00
11:00
11:00

これらの謎《なぞ》を解《と》くカギはいったい…
あ、そっか！
あん？
ホラ、さっきから家中《いえじゅう》の動物《どうぶつ》探《さが》しながら見《み》てるでしょ？
何《なに》か足《た》んないと思《おも》ったのよね！
ライオンよライオン！
一匹《いっぴき》も見《み》かけなかったのよ！
バーロ！ライオンなら玄関《げんかん》の扉《とびら》にでけーのが二《ふた》ついてたよ！
あれ？そうだった？
だいたいこんなに動物《どうぶつ》がそろってんのに、ねーわけねーだろ？
動物界《どうぶつかい》のキングなんだからよ…
キング…
!?
11:00

アハハハハハハ!!
ど、どうしたのコナン君《くん》?
ううん…ちょっと思《おも》い出《だ》し笑《わら》い…
変《へん》なガキ…
この推理《すいり》どおりだとすれば、実《じつ》にユニークな暗号《あんごう》だが…
……でもまてよ…
そうだとすれば鳩時計《はとどけい》の中《なか》から出《で》て来《く》る文字《もじ》は…
数字《すうじ》の「0《ゼロ》」かアルファベットの「O《オー》」のはず…
しかし出《で》て来《き》たのは「L《エル》」「N《エヌ》」「R《アール》」の三文字《さんもじ》だ…
もしかして鳩時計《はとどけい》の暗号《あんごう》は、デジタル時計《どけい》のそれとは全《まった》く別《べつ》の意味《いみ》があるんじゃ…
1時《じ》10分《ぷん》…「110《イチイチゼロ》」…
頭《あたま》に「L《エル》」「N《エヌ》」「R《アール》」をつけた三匹《さんびき》の鬼《おに》…
三匹《さんびき》…三《み》つ子《ご》…?

三《み》つ子《ご》のL《エル》N《エヌ》R《アール》!!!
まてよ…
そーっ
もしかしたら…
ダッ
もしかしたら…
ガラッ
……なるほど…
読《よ》めたぜ完全《かんぜん》に…

コナンくーん？どこー―？
コナンく〜〜〜ん？
パタン
ちょっとーどこ行《い》ってたのよ!?
おじさんは？
まだ書斎《しょさい》で暗号《あんごう》の答《こた》えを考《かんが》えてるわよ…
スポ
この分《ぶん》じゃ日《ひ》が暮《く》れちゃいそう…
あせっても仕方《しかた》ないよ…
日《ひ》がとっぷり暮《く》れるまで、じっくり考《かんが》えた方《ほう》が…
答《こた》えが出《で》るかもしれないよ…

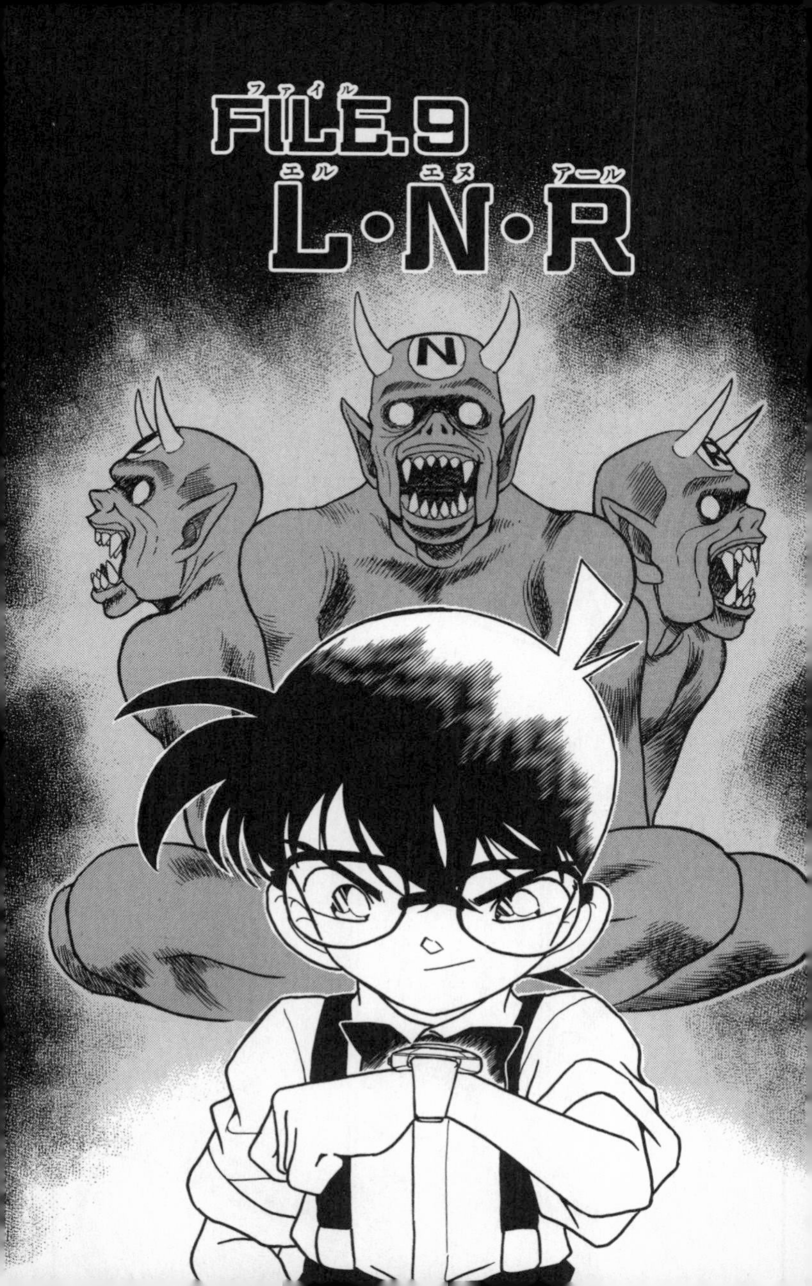
FILE《ファイル》.9
L《エル》・N《エヌ》・R《アール》

うーむ わからん…
午前《ごぜん》11時《じ》に 一斉《いっせい》に鳴《な》り出《だ》した デジタル時計《どけい》…
その時計《とけい》のパネルの 「110《イチイチゼロ》」と「0《ゼロ》」の間《あいだ》に つけられた奇妙《きみょう》な傷《きず》…
そして突如《とつじょ》 1時《じ》10分《ぷん》に 鳴《な》り出《だ》した 鳩時計《はとどけい》…
すべて 「110《イチイチゼロ》」だ ……
なんなんだ? 「110《イチイチゼロ》」って…
11:00
やっぱり 110番《ばん》の警察《けいさつ》か?
ねえ、そろそろ あきらめて帰《かえ》ろ…
でも変《へん》だな… 110番《ばん》なら デジタルも 1時《じ》10分《ぷん》に した方《ほう》が…
ねえ、お父《とう》さん!

うるせぇ!! 帰《かえ》りたきゃとっとと一人《ひとり》で帰《かえ》れ!!!
もー 怒《おこ》んないでよ…
………
そろそろだな…
「110《イチイチゼロ》」…「110《イチイチゼロ》」…
「11《イチイチ》」…
そうかシマだ!!
「11《イチイチ》」っていうのはシマ模様《もよう》を暗示《あんじ》してたんだよ!!
え?
だから家中《いえじゅう》のシマ馬《うま》をすべて調《しら》べればきっと何《なに》かが…
でも、それなら11時《じ》11分《ぷん》にするんじゃないんですか?
それにシマ模様《もよう》なら虎《とら》にも入《はい》ってますし…
ねえ、シマ馬《うま》と虎《とら》とどっちが強《つよ》い?
え? 虎《とら》でしょ?
じゃー虎《とら》が動物《どうぶつ》の中《なか》で一番《いちばん》なの?
一番《いちばん》はきっとライオンだよ、ボウヤ…
そっかー! ライオンかー…

さすがロクジュウの王《おう》だね!!
ロクジュウ……?
バーカ、それをいうなら百獣《ひゃくじゅう》の…
ヒャクジュウの…
O《オー》!!!
そうかわかったぞ!! この「110《イチイチゼロ》」は「110《ヒャクジュウ》」と「O《オー》」、つまり「百獣《ひゃくじゅう》の王《おう》」ライオンを示《しめ》す暗号《あんごう》!!
11:00
0《ゼロ》と0《ゼロ》の間《あいだ》の傷《きず》は110《ヒャクジュウ》と0《ゼロ》を分《わ》けて考《かんが》えろって事《こと》だったんだ…
で、でも見《み》あたりませんよ、ライオンなんて…
きっと紋時郎《もんじろう》さんが問題《もんだい》のライオンだけに注目《ちゅうもく》させるために、関係《かんけい》のないライオンを取《と》り除《のぞ》いたんですよ!
じゃあ問題《もんだい》のライオンって玄関《げんかん》の扉《とびら》についてた…
ああ! あれを調《しら》べればきっと何《なに》かが出《で》てくるはずだ!!
4

どこも変《か》わった所《とこ》はありませんね…
みたいですな…
それにあの鳩時計《はとどけい》はどう説明《せつめい》するんです？
百獣《ひゃくじゅう》の王《おう》なら中《なか》から出《で》て来《く》る文字《もじ》は「O《オー》」のはずでしょ？
た、確《たし》かに…「L《エル》」「N《エヌ》」「R《アール》」の文字《もじ》をつけた三匹《さんびき》の鬼《おに》だ…
もしかしてあれには別《べつ》の意味《いみ》があるんじゃない？
あれだけ鳩時計《はとどけい》だったし…
ウーム…考《かんが》えられん事《こと》はないが…
じゃーなんなんだ？「110《イチイチゼロ》」と「L《エル》」「N《エヌ》」「R《アール》」って…
ヒトゥ？イト？イトー…
紋時郎《もんじろう》さんの知人《ちじん》に「伊藤《いとう》」さんなんていませんでした!?
さ、さあ…
じゃあ「内藤《ないとう》」さんとか「斎藤《さいとう》」さんは？
くすくす…
あん？何《なに》がおかしいんだ？

だって面白《おもしろ》いんだもん！頭《あたま》の文字《もじ》を変《か》えるだけで全然別《ぜんぜんべつ》の人《ひと》の名前《なまえ》になっちゃうから…
フン！それのどこがおもしれーんだよ？
そーいえばあの鬼《おに》の人形《にんぎょう》、みんな頭《あたま》に文字《もじ》つけてたなー…
三匹《さんびき》ともそっくりだったし…
………
頭《あたま》に「L《エル》」「N《エヌ》」「R《アール》」をつけた三人《さんにん》の伊藤《いとう》…？
頭文字《かしらもじ》…？
イト「110《イチイチゼロ》」？
!?

6

そうか！そうだったんだ!!
え？
あの鳩時計《はとどけい》の暗号《あんごう》は、「N《エヌ》」「L《エル》」「R《アール》」の頭文字《かしらもじ》を持《も》ち、なおかつ「イト」がつくよく似《に》た三《みっ》つの単語《たんご》、
Light《ライト》、Night《ナイト》、Right《ライト》の事《こと》だったんだよ!!
Light《ライト》(光《ひかり》)
Night《ナイト》(夜《よる》)
Right《ライト》(右《みぎ》)
つまり「夜《よる》」「右《みぎ》」側《がわ》のライオンに「光《ひかり》」をあてれば、何《なに》かが起《お》こるって事《こと》だ!!
すごーいお父《とう》さん!!
でも、光《ひかり》ならさっきあてたじゃないですか…
…ですよね…
あれれ、なんだろ、あれ？
ん？
ホラ、右《みぎ》のライオンの丁度《ちょうど》裏側《うらがわ》…
よーく見《み》ないとわかんないけど…
なにか開《ひら》くみたいだよ！
パカ
お、ホントだ…
そうか！この穴《あな》にライトを…

ピローッ
こ、これは…
おい、蘭《らん》！ライトを穴《あな》に入《い》れたまま、扉《とびら》を閉《し》めてくれ！
う、うん…
パタン
カッ
ひ、
光《ひかり》が反射《はんしゃ》して……
そうか！柱《はしら》の中《なか》に鏡《かがみ》が…
とにかく光《ひかり》を追《お》ってみましょう!!

8

ザッ
光《ひかり》が例《れい》の穴《あな》を通《とお》って、
書斎《しょさい》の中《なか》に…
よーし、次《つぎ》は書斎《しょさい》だ!!
え？ 何《なに》かわかった？
いいから、おまえはライトをあてたまま扉《とびら》を閉《し》めてろ！
パポパポッ
ダダダッ
なんだ、この音《おと》？
ガチャ
パポパポッ

9

パポッ パポッ
パポッ パポッ
こ、今度《こんど》は鬼《おに》じゃなく鳩《はと》が…
なるほど…外《そと》から入《はい》った光《ひかり》が、机《つくえ》の鏡《かがみ》に反射《はんしゃ》して下《した》から鳩時計《はとどけい》を照《て》らしてんだ…
パッポ
内部《ないぶ》に仕込《しこ》まれてるのは光度計《こうどけい》か？
きっと太陽《たいよう》の光《ひかり》に影響《えいきょう》されんように、夜《よる》しか動《うご》かないカラクリになってるんだろう…
パッポ パッポ
ん？
鳩《はと》に何《なに》かひっかかってるな…
腕時計《うでどけい》か…
おお——！きっとそれは祖父《そふ》が私《わたし》に託《たく》したプレゼントでしょう!!
しかし宝石《ほうせき》だらけの豪華《ごうか》な時計《とけい》ですなー…
当《あ》たり前《まえ》だよ！
なんたってそれは…

盗賊団《とうぞくだん》「ゴブリン」のリーダー「デーモン」が隠《かく》し持《も》ってた盗品《とうひん》だろうから…
!?
ゴブリンのリーダー、デーモン？
ここに住《す》んでた紋時郎《もんじろう》さんの事《こと》だよ！
鳩時計《はとどけい》の中《なか》から出《で》てきた人形《にんぎょう》は、昔《むかし》盗賊団《とうぞくだん》が犯行現場《はんこうげんば》に必《かなら》ず残《のこ》していたゴブリン人形《にんぎょう》にそっくりだし、
「デーモン」の刺繍《ししゅう》入《い》りのゴルフバッグもらってるみたいだし…
Demon
それにこの二人《ふたり》、おじさんに手紙《てがみ》を出《だ》した操《みさお》さんじゃないと思《おも》うよ！
え？
ホラ、手紙《てがみ》にはこう書《か》いてあったでしょ？「越《こ》して来《き》たばかりで家《いえ》の勝手《かって》がわからない」「一人《ひとり》で考《かんが》えてもらちが明《あ》かない」って…
なのに古《ふる》くなった扉《とびら》の開《あ》け方《かた》知《し》ってたし、二人《ふたり》で住《す》んでるし…
それに、1時《じ》10分《ぷん》に鳴《な》ったはずの鳩時計《はとどけい》を10時《じ》50分《ぷん》だとまちがえてる…
そう…この犯人《はんにん》は直接《ちょくせつ》時計《とけい》を見《み》たんじゃない…

鏡《かがみ》に逆《さか》さに映《うつ》った時計《とけい》を、外《そと》から穴《あな》を通《とお》してのぞき見《み》したんだ！
つまり操《みさお》さんの手紙《てがみ》にあった誰《だれ》かにのぞかれているっていう誰《だれ》かとは、この人達《ひとたち》の事《こと》だったんだよ!!
それに操《みさお》さんって女《おんな》の人《ひと》だと思《おも》うよ…
なに？
ホラ、この手紙《てがみ》の切手《きって》見《み》てよ！
切手《きって》の裏《うら》に口紅《くちべに》がついてるでしょ？
そうか…はりつける時《とき》になめて…
でもこのくらいの事《こと》、おじさんならわかってたよね？
あ、ああ…
まあ…
……となると…
まさかこいつら…
え？
御名答《ごめいとう》……

オレ達《たち》は「ゴブリン」の残党《ざんとう》だ…
ボスがめてた最後《さいご》の宝《たから》をいただきに来《き》たんだよ…
がめてた？
ああ…解散《かいさん》した時《とき》に、ボスは獲物《えもの》のほとんどをオレ達《たち》に譲《ゆず》ってくれたが、一番《いちばん》値《ね》打《う》ちがある石《いし》を自分《じぶん》の懐《ふところ》にしまいやがったんだ…
それがこの時計《とけい》についてる宝石《ほうせき》ってわけか…
やっとボスがおっ死《し》んだんで、昔《むかし》ネグラにしてたこの洋館《ようかん》を家捜《やさが》ししようと来《き》てみたら、先客《せんきゃく》がいやがってよ…
その人《ひと》が、屋根裏部屋《やねうらべや》に閉《と》じ込《こ》められてる本物《ほんもの》の操《みさお》さんだね？
ああ…あそこにぶち込《こ》んだ時《とき》も散々《さんざん》わめいて大変《たいへん》だったよ…「もうすぐ名探偵《めいたんてい》がここに来《く》るから覚悟《かくご》しろ」ってな…
こりゃー丁度《ちょうど》いいやってところにあんたがやってきたからよ――…
奴《やつ》のふりして、ボスが残《のこ》した暗号《あんごう》をあんたに解《と》いてもらったってわけよ…
さあ、その時計《とけい》を渡《わた》しな…
………
おとなしく渡《わた》せば命《いのち》だけは…

そらよ！
な!?
ヤ、ヤロォ…
つっ…
ガッ!!
え？
ちょっと何《なに》？
今《いま》の音《おと》…

ガッ
きゃっ!
動《うご》くな!!
動《うご》くとこの娘《むすめ》の首《くび》を…
あ、バカ…
よしなって…
アアア アアア、
へ?
うが…

かかと落《お》とし!!!
か…
あー
びっくりした…
あ、そう…
おーし、とにかく警察《けいさつ》に連絡《れんらく》だ!!

オレ達《たち》の連絡《れんらく》を受《う》けてすぐに地元《じもと》の警察《けいさつ》がかけつけ、
悪党《あくとう》二人組《ふたりぐみ》はのびたまま救急車《きゅうきゅうしゃ》で運《はこ》ばれ…
操《みさお》さんは無事《ぶじ》屋根裏部屋《やねうらべや》から救出《きゅうしゅつ》された…
彼女《かのじょ》は思《おも》ったとおり、紋時郎《もんじろう》さんといっしょに写真《しゃしん》に写《うつ》っていた女性《じょせい》だった…
――…そうですか…
こんな物《もの》が鳩時計《はとどけい》の中《なか》に…
おそらく紋時郎《もんじろう》さんが、あなたのために作《つく》った時計《とけい》に盗品《とうひん》の宝石《ほうせき》をちりばめたんでしょう…
こっそりくすねちゃえばバレないかもしれませんよ！
でも、盗品《とうひん》は盗品《とうひん》！受《う》け取《と》れませんわ…
それに私《わたし》はもう、祖父《そふ》から宝石《ほうせき》より高価《こうか》な物《もの》を受《う》け取《と》ってます…
は？

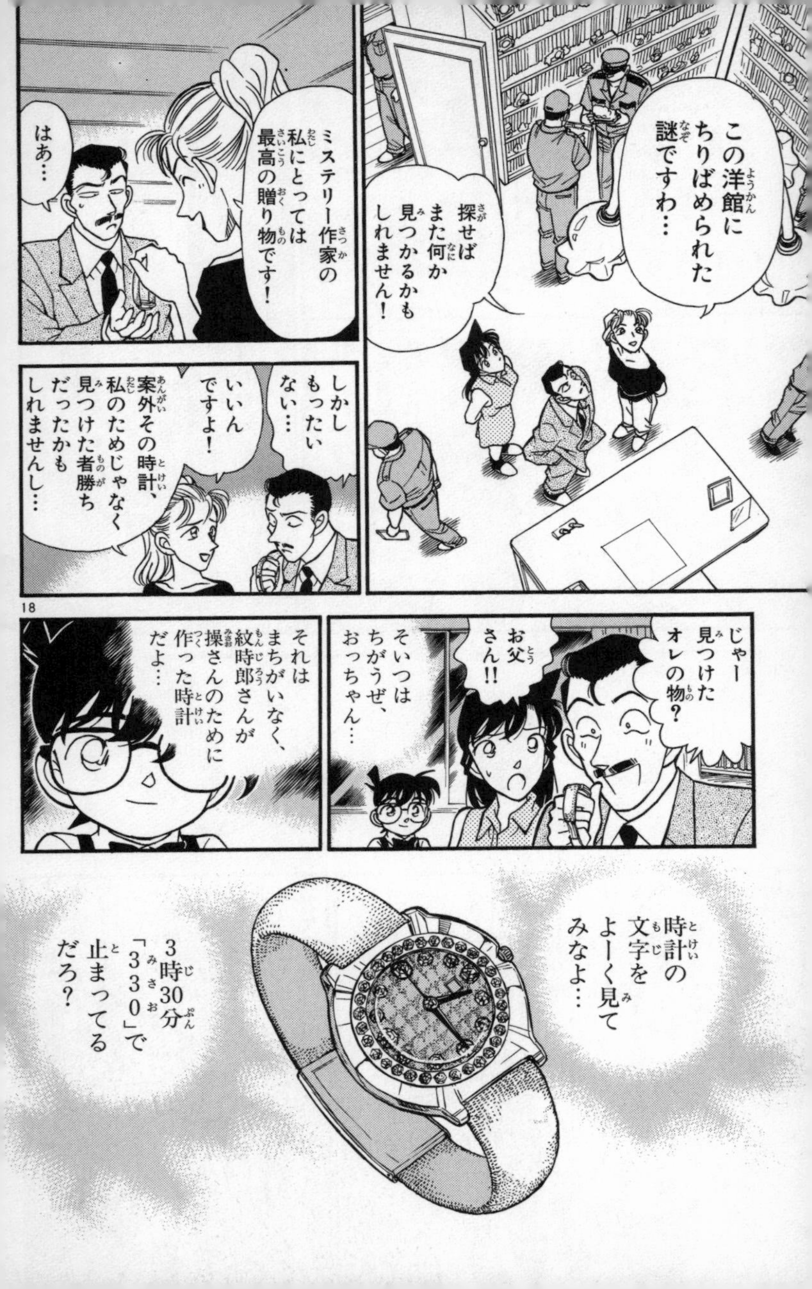

この洋館《ようかん》にちりばめられた謎《なぞ》ですわ…
探《さが》せばまた何《なに》か見《み》つかるかもしれません!
ミステリー作家《さっか》の私《わたし》にとっては最高《さいこう》の贈《おく》り物《もの》です!
はあ…
しかしもったいない…
いいんですよ!
案外《あんがい》その時計《とけい》、私《わたし》のためじゃなく見《み》つけた者勝《ものが》ちだったかもしれませんし…
じゃー見《み》つけたオレの物《もの》?
お父《とう》さん!!
そいつはちがうぜ、おっちゃん…
それはまちがいなく、紋時郎《もんじろう》さんが操《みさお》さんのために作《つく》った時計《とけい》だよ…
時計《とけい》の文字《もじ》をよーく見《み》てみなよ…
3時《じ》30分《ぷん》「330《みさお》」で止《と》まってるだろ?

FILE《ファイル》.10
役者《やくしゃ》が揃《そろ》った

ええっ？土方幸三郎《ひじかたこうざぶろう》!?
あの時代劇《じだいげき》俳優《はいゆう》の!?
ああ…
もうすぐオレに会《あ》いにここに来《く》るよ…
なんでも今度《こんど》、TV《テレビ》で探偵役《たんていやく》をやるってんで、名探偵《めいたんてい》のオレ様《さま》の意見《いけん》を、ぜひ参考《さんこう》にしたいんだと！
すっごーーい!!
ボッ
でも幸三郎《こうざぶろう》さんって時代劇《じだいげき》しか出《で》ないのをウリにしてなかった？
知《し》らねーよ…
最近《さいきん》ちょっと落《お》ち目《め》だし…
背《せ》に腹《はら》はかえられねえってトコじゃねーのか？

悪《わる》うござんしたね…
「落《お》ち目《め》」で…
わっ!
ひ、ひ、土方幸三郎《ひじかたこうざぶろう》!?
しーっ。
大声《おおごえ》出《だ》しなさんな娘《むすめ》さん…
土方幸三郎《ひじかたこうざぶろう》(51)
俳優《はいゆう》
どっかでブンヤさんが聞《き》き耳立《みみた》ててるかも知《し》れねーんだから…
ブンヤ?ああ…例《れい》の奥《おく》さんとの離婚騒動《りこんそうどう》のせいですな…
り、離婚騒動《りこんそうどう》?
いやいや根《ね》も葉《は》もないウソっぱちだよ!
妻《つま》の勇美《いさみ》も迷惑《めいわく》してまさー…
小粋《こいき》な男《おとこ》とちょいと言葉《ことば》をかわしただけで、「浮気《うわき》」だの「破局《はきょく》」だのってんだから…
仕方《しかた》ないですよ!あれだけの美人女優《びじんじょゆう》を奥方《おくがた》に選《えら》ばれたんスから…
まあ、何《なに》はともあれ…
ここはさっさと切《き》りあげて、私《わたし》の家《いえ》に参《まい》りましょうか…
ね、毛利先生《もうりせんせい》!
先生《せんせい》…?

さあ こっちですよ、先生《せんせい》！
やめてくださいよ、先生《せんせい》だなんて…
こちとら これから、あんたに探偵《たんてい》の心得《こころえ》を御教授願《ごきょうじゅねが》おうってんだ！
先生《せんせい》にちげーねーでしょ？
ねえ、なんで裏口《うらぐち》からコソコソ入《はい》んなきゃいけないの？
正面《しょうめん》だとよく張《は》ってるんだよ、ブンヤが…
おっ、今日《きょう》はいないようだ…
離婚騒動《りこんそうどう》の最中《さなか》に探偵《たんてい》のあんたといっしょにいるのを見《み》られでもしたら、また何《なに》を書《か》かれるかわかりゃしませんからね…
チーン
そりゃそうだ…
ガーーッ

おっ…
あ…
沖田《おきた》一《はじめ》(29)
俳優《はいゆう》
あれー もしかして俳優《はいゆう》の沖田《おきた》一《はじめ》さんじゃありません?
あ、ああ…
彼《かれ》はウチのお隣《となり》さんなんだ…
これからどっかにお出《で》かけかい?
ああ…ちょっとコンビニに…
心配《しんぱい》すんなよ!約束《やくそく》どおりあんたが来《く》るのをちゃんと部屋《へや》で待《ま》っててやるからよ…
約束《やくそく》…?
ホラ、例《れい》の事《こと》で一応《いちおう》彼《かれ》に確《たし》かめてみようかと…
ホー……
なんですか?例《れい》の事《こと》って…
ウィーン
噂《うわさ》になってる土方《ひじかた》さんの奥《おく》さんの浮気相手《うわきあいて》…それが今《いま》の彼《かれ》って事《こと》になってんだ…
ウソ…
さあ乗《の》った!乗《の》った!
あ、はい…

ああ…そういやーまだ名刺《めいし》を渡《わた》してませんでしたな…
ウイイイイン
ホラ、ボウズにも…
ホーたくさん部屋《へや》をお持《も》ちのようですな…
6階《かい》なんて全部屋《ぜんへや》じゃないですか？
ああ…前《まえ》は6階《かい》のフロアを事務所《じむしょ》にしたり人《ひと》に貸《か》したりしてたんだが、今《いま》は誰《だれ》もいねぇ…
これから先生達《せんせいたち》をお通《とお》しするのは自宅《じたく》にしている5階《かい》でさ――…
チーン
おっ、丁度《ちょうど》着《つ》いたようだ…
さあ、こっちこっち！
501
土方
ピンポーン
はーーい！

あら
いらっしゃい
探偵《たんてい》さん!
どうもー♡
わっ!
永倉勇美《ながくらいさみ》♡
今日《きょう》は
ウチの人《ひと》のために
わざわざ
すみません!
しっかり
教《おし》えてやって
くださいね!
永倉勇美《ながくらいさみ》(38)
現姓《げんせい》(土方《ひじかた》)
土方幸三郎《ひじかたこうざぶろう》の妻《つま》
なんたってこの人《ひと》、
刀《かたな》の振《ふ》り方《かた》しか
知《し》らない人《ひと》
だから…
悪《わる》う
ござん
したね!
仲《なか》が
よろしい
ですな!
「不仲説《ふなかせつ》」なんて
どこ吹《ふ》く風《かぜ》ですか…
まーったく…
その記事《きじ》書《か》いた人《ひと》、
ここに招《まね》いちゃ
おうかしら♡
新聞《しんぶん》が
面白《おもしろ》がってる
だけでさー…
さ、さ、
まずは
リビングで
くつろぎ
なせい…
ガチャ
どうも
どうも…
……

さすが元女優《もとじょゆう》、見事《みごと》な演技《えんぎ》だねぇ…
とても離婚間際《りこんまぎわ》に多額《たがく》の慰謝料《いしゃりょう》を夫《おっと》からふんだくろうって毒婦《どくふ》には見《み》えねぇよ…
あら、元《もと》はといえばあなたの浮気性《うわきしょう》が招《まね》いた事《こと》でしょ？
で？オレと切《き》れたらあの沖田《おきた》っていうサンシタといっしょになろうって腹《はら》かい？
さあ…まだそこまでは…
それよりどーいうつもり？探偵《たんてい》なんか呼《よ》んじゃって…
夕方《ゆうがた》に沖田君《おきたくん》を交《ま》じえて三人《さんにん》で話《はなし》をするんじゃなかったの？
この期《ご》に及《およ》んでなんの話《はなし》だか知《し》らないけど…
まあそういうねぃ…
こっちにはこっちの都合《つごう》ってモンがあるんよ…
最近《さいきん》のあなた少《すこ》し変《へん》よ…
急《きゅう》に部屋《へや》の模様替《もようが》えしたりそうじしたり…
仕方《しかた》ねえだろ？食《く》いっぱぐれててヒマだったんだから…
とにかく、あの探偵《たんてい》はあなたに任《まか》せたわ…
私《わたし》は事務所《じむしょ》の方《ほう》で待《ま》ってるから早《はや》くしてね…
ああ…
こっちもそのつもりだ…

遅《おせ》ぇなー
土方《ひじかた》さん…
もう30分《ぷん》も
たつぞ…
何《なに》してん
だろーね…
あれっ
くそ…
カチ
カチ
つかねー…
もーー
そろそろ
やめたら?
タバコ…
ん?
あった
あった!
何《なに》それ
拳銃《けんじゅう》?
バーカ、
こりゃー
ライター
だよ!
こーやって
引《ひ》き金《がね》を引《ひ》いたら
銃口《じゅうこう》から火《ひ》が…
この…
くそ…
ギッ

あーーっ!!
ひ、引《ひ》き金《がね》が折《お》れた…
またしてすまねぇ…
いやーこーいう事《こと》はいつも妻《つま》に任《まか》せてたんで…
手間《てま》取《ど》っちまって…
あれ? 勇美《いさみ》さん出《で》かけちゃったんですか?
ああ…ちょっくら友達《ともだち》の家《いえ》に行《い》くって…
あ、そうそう毛利先生《もうりせんせい》に手《て》ほどき願《ねが》おうと買《か》って来《き》た物《もの》が…
え?
おや?
変《へん》だねぇ…確《たし》かここに置《お》いたんだが…
な、何《なに》を…?
モデルガンでさー…結構値《けっこうね》が張《は》ったんだけどねえ…
いやなに、今度《こんど》私《わたし》が演《や》る探偵《たんてい》ってのが変装《へんそう》するわ、拳銃撃《けんじゅう》つわの派手《はで》な奴《やつ》でしてね! ぜひ先生《せんせい》に構《かま》え方《かた》なんぞを…
い、いりませんよそんな物《もの》…今時《いまどき》のTV《テレビ》の探偵《たんてい》は拳銃《けんじゅう》なんてもってませんし…
もっとリアルにいきましょう!
リアルに…
ハハハ…

しかし弱《よわ》ったね…最初《さいしょ》のシーンがこの川《かわ》べりで犯人《はんにん》と撃《う》ち合《あ》うカットで始《はじ》まると聞《き》いてるんで…
川《かわ》べり?
ホラ、そこよォ!
わーステキな眺《なが》めー♡
こりゃー夜景《やけい》もさぞかしイケるでしょうな…
三日《みっか》もたちゃあきまさー…
トゥルル…
トゥルル…
あ、電話《でんわ》…
隣《となり》の沖田《おきた》の電話《でんわ》だよ…
え?じゃあここが沖田《おきた》さんの…
ああ…だからブンヤさんも面白《おもしろ》がって…
え?

ドザッ
い、
勇美《いさみ》!?
おい どーした 勇美《いさみ》!? しっかりしろ!!
わっ、ちょっと!
ここ5階《かい》ですよ!!
くそっ あのサンピン オレの勇美《いさみ》に何《なに》しやがった!?
ダッ

ダダダダダダ‥
おい沖田《おきた》!! 出《で》て来《き》やがれ!!
沖田《おきた》ァ!!!
502 沖田
ガチャ ガチャ
おのれ……
なんなら下《した》のフロントで事情《じじょう》を話《はな》して、合《あ》い鍵《かぎ》もらって来《き》ましょうか?
すまねぇ!!
バン
オレはここで奴《やつ》が逃《に》げねえ様《よう》に見張《みは》ってるからよ!!

じゃあ、わたし電話《でんわ》で警察《けいさつ》と救急車《きゅうきゅうしゃ》を!!
おっと警察《けいさつ》なら電話《でんわ》するより、すぐそばの交番《こうばん》に直接《ちょくせつ》かけ込《こ》んだ方《ほう》が早《はや》い!!
502 沖田
それじゃー頼《たの》んだぜ!!

ええっ!? 土方《ひじかた》さんの奥《おく》さんが沖田《おきた》さんの部屋《へや》から…!?
そ、そんなまさか…
とにかく合《あ》い鍵《かぎ》を!!
お父《とう》さん! 警察《けいさつ》の人《ひと》連《つ》れて来《き》たよ!
おーし急《いそ》げ!!
ダダダ
くそっ全然《ぜんぜん》降《お》りて来《こ》ねーぞ!
カチャカチャ
壊《こわ》れちまったんじゃねーのか? このエレベーター…
いやそんなはずは…
仕方《しかた》ない! 階段《かいだん》を使《つか》おう!!
ホラ、行《い》くよコナン君《くん》!
う、うん…

ダダダ
ハァ
ハァ
おう、まってたぜ!!
で？何《なに》か変《か》わった事《こと》は？
ハァ
ハァ
ハァ
さっきから扉《とびら》をたたいちゃいるが、うんともすんともいわねーぜ…
では鍵《かぎ》を！
は、はい…
ガチャ
502
沖田
え？
なんスか？人《ひと》ん家《ち》の前《まえ》で騒々《そうぞう》しい…
ふざけるな、どけ!!
バン
あ、ちょっ…
お、おい!!
ダダダ
ガラッ

い、
勇美《いさみ》…
なに!?
おい しっかり しろ、勇美《いさみ》!? 勇美《いさみ》!?
無駄《むだ》だ…もう息《いき》はない…
え?
そ、そんな…

死因《しいん》は索条物《さくじょうぶつ》による絞殺《こうさつ》…
おそらく細《ほそ》い釣《つ》り糸《いと》の様《よう》な物《もの》で首《くび》を絞《し》められたんだ…
死《し》んでから30分以内《ぷんいない》ってトコだろう…
で、でもよー…
なんだってオレん家《ち》のベランダに…
勇美《いさみ》さんが…
とぼけんな！こっちは、彼女《かのじょ》があんたの部屋《へや》からベランダに倒《たお》れ込《こ》むのを見《み》てんだよ!!
あんた以外《いがい》に誰《だれ》がやったっつーんだよ!!
おっちゃんのいうとおり、犯人《はんにん》はこの人《ひと》にちがいなさそーだな…
うっうっ…
あとは凶器《きょうき》の釣《つ》り糸《いと》を見《み》つけて動機《どうき》を吐《は》かせれば…

——名探偵コナン⑰・完——

〈掲載・週刊少年サンデー平成9年25号より平成9年34号まで〉

名探偵コナン⑰

少年サンデーコミックス

1997年12月15日初版第1刷発行　（検印廃止）
2007年3月25日　第33刷発行

著者　青山剛昌

発行者　笹原博

印刷所　図書印刷株式会社

PRINTED IN JAPAN

発行所　(〒101-8001) 東京都千代田区一ツ橋二の三の一　株式会社 小学館
TEL　販売03(5281)3556　編集03(3230)5853

ISBN4―09―125047―5

希代の大怪盗
マジックだ!!
か、
怪盗《かいとう》キッド!!!

天才的マジックと変装術を駆使して、
盗みを行う、怪盗キッド。
「名探偵コナン」でも
おなじみのコナンのライバルが
最高に華麗に
大胆に登場!!
ついに
復活!!
まじっく快斗《かいと》
1～4巻★青山剛昌
少年サンデーコミックス
S comics
発行/小学館

少年サンデーコミックス
Scomics
発行/小学館
今《いま》、顕微鏡《けんびきょう》で見《み》てるこのトナカイの肝臓《かんぞう》、なんかおかしくねェか?
ここに岩城鉄生《いわしろてつしょう》がいると聞《き》いたんだがよ。
ザ
ン
と…友国大河《ともくにたいが》!!
けど、教科書《きょうかしょ》に載《の》ってる肝不全《かんふぜん》の牛《うし》の肝臓《かんぞう》とかとなんかちょっと違《ちが》うんだよ…!
も…!?

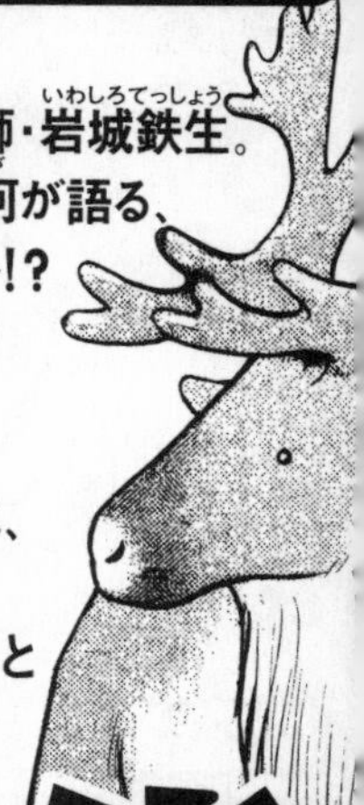

既◆刊◆好◆評◆発◆売◆中◆!!

●少年サンデーコミックス

MAJOR　満田拓也
★1～62巻好評発売中!!

名探偵コナン　青山剛昌
★1～56巻好評発売中!!

まじっく快斗　青山剛昌
★1～4巻好評発売中!!

犬夜叉　高橋留美子
★1～48巻好評発売中!!

焼きたて!! ジャぱん　橋口たかし
★1～25巻好評発売中!!

ワイルドライフ　藤崎聖人
★1～21巻好評発売中!!

結界師　田辺イエロウ
★1～15巻好評発売中!!

ハヤテのごとく!　畑 健二郎
★1～10巻好評発売中!!

絶対可憐チルドレン　椎名高志
★1～8巻好評発売中!!

あいこら　井上和郎
★1～6巻好評発売中!!

きみのカケラ　高橋しん
★1～5巻好評発売中!!

兄ふんじゃった!　小笠原 真
★1～5巻好評発売中!!

妖逆門［ばけぎゃもん］　原案協力／藤田和日郎　田村光久
★1～4巻好評発売中!!

武心BUSHIN　万乗大智
★1～4巻好評発売中!!

うえきの法則プラス　福地 翼
★1～3巻好評発売中!!

RANGEMAN　モリタイシ
★1～2巻好評発売中!!

GOLDEN★AGE　寒川一之
★1～3巻好評発売中!!

3 -

G